Dreimal Deutsch

In Deutschland | In Österreich | In der Schweiz

von Uta Matecki

Ernst Klett Sprachen
Stuttgart

Inhalt

Moderne Geschichte

Kunst und Wissenschaft

Deutschland aktuell

Städte und Länder

In Deutschland

In Österreich

In der Schweiz

Auf den ersten Blick

Landschaften

■ Welche der abgebildeten Landschaften finden Sie auf der Karte?

Der Chöpfenberg in der Schweiz (1896 m) markiert die Kantonsgrenze zwischen Schwyz und Glarus.

Als historische Kulturlandschaft gehört das Obere Mittelrheintal von Bingen bis Koblenz zum UNESCO-Welterbe.

Über 1000 Seen bilden die Mecklenburgische Seenplatte – die größte geschlossene Landschaft dieser Art in Mitteleuropa.

Das Wattenmeer in der südwestlichen Nordsee ist ein geschütztes Ökosystem. „Watt" bedeutet flaches Wasser: Bei Ebbe kann man im Meer eine Wanderung machen.

Hohe Gipfel, Seen und Wälder laden Wanderer aus aller Welt in die österreichischen Alpen ein.

N o r d s e e

DÄNEMARK

Kattegat

Nordsee

Mors
Ålborg
Læsø
Varberg
Värnamo
Oskarshamn

Holstebro
Viborg
Randers
Anholt
Halmstad
Halland
Växjö
Småland
Borgholm
Öland

Herning
Århus
Kullen
Blekinge
Karlshamn
Kalmar

Blåvands Huk
Vejle
Horsens
Helsingør
Frederiksborg
Hälsingborg
Landskrona
Karlskrona
Kristianstad

Esbjerg
Fredericia
Schonen
Lund
Simrishamn

Kolding
Odense
Kopenhagen
(København)
Malmö

Fünen
Korsør
Seeland
Trelleborg
Ystad

Flensburg
Nakskov
Møn
143
Rønne
162
Bornholm
(dän.)

Lolland
Falster

Helgoland
Fehmarn
Rødby Havn
Gedser
Kap Arkona
161
Sassnitz
Stolp
(Słupsk)
115

Westfriesische Inseln
Ostfriesische In.
Kiel
168
Stralsund
Rügen
Köslin
(Koszalin)
256

Leeuwarden
Wilhelmshvn.
Cuxhaven
Lübeck
Rostock

NIEDER-
Emden
Bremerhvn.
Hamburg
Neubrandenburg
Stettin
(Szczecin)

Haarlem
Amsterdam
Groningen
Oldenburg
Bremen
Schwerin
Schwedt
Landsberg
(Gorzów Wielkopolski)
Bromberg
(Bydgoszcz)

Utrecht
Enschede
N o r d d e u t s c h e s   T i e f l a n d
Wolfsburg
Posen
(Poznań)

LANDE
Arnheim
(Arnhem)
Osnabrück
Hannover
Braun-
schweig
Berlin
Gniezno

Antwerpen
Eindhoven
Münster
Bielefeld
Salzgitter
Magdeburg
Potsdam

Brüssel
(Brussel, Bruxelles)
Duisbg. Essen
Dortmund
Göttingen
Brocken
1142
Halle
Leipzig
Cottbus
Grünberg
(Zielona Góra)
Kalisch
(Kalisz)

GIEN
M.-
Gladbach
Düsseldorf
DEUTSCHLAND
Liegnitz
(Legnica)
Breslau
(Wrocław)

Lüttich
(Liège)
Aachen
Köln
Siegen
Rothaar-Geb.
Kassel
Eisenach
Erfurt
Jena
Gera
Dresden
Görlitz
Hirschberg
(Jelenia Góra)
Waldenburg
(Wałbrzych)

Bonn
Koblenz
Rhön
Zwickau
Chemnitz
Reichenbg.
(Liberec)
Schneekoppe
1603
Aussig
(Ústí n. L.)

LUXEM-
BURG
Trier
Wiesbaden
Mainz
Frankfurt
Spessart
Schweinfurt
Hof
Erzgebirge
B ö h m e n
Prag
(Praha)
Königgrätz
(Hradec Králové)
Ostrau
(Ostrava)

Thionville
Saarbrücken
Ludwigshfn.
Mannheim
Würzburg
Nürnberg
Pilsen
(Plzeň)
TSCHECHISCHE
Pardubice
Olmütz
(Olomouc)

Metz
Forbach
Karlsruhe
Regensburg
Böhmerwald
Gr. Arber
1456
Budweis
(České Budějovice)
REP.
M ä h r e n
Brünn
(Brno)
Zlín

Nancy
Straßburg
(Strasbourg)
Stuttgart
688
Ingolstadt
338

ANKREICH
504
Freiburg
Schwäbische Alb
Ulm
457
Donau
Augsburg
München
Passau
Linz
1060
Wien
Pressburg
(Bratislava)

Mülhausen
(Mulhouse)
Feldberg
1493
Zugspitze
2962
Salzburg
St. Pölten
135
Sopron

Montbéliard
Besançon
Basel
Zürich
2501
1793
Dachstein
2995
2075
Győr
Kisalföld

Bern
Luzern
Vaduz
Innsbruck
Brenner
1374
Großglockner
3797
Hohe Tauern
2277
985
Szombathely

SCHWEIZ
LIECHTENSTEIN
Wildspitze
3774
ÖSTERREICH
Leoben
Graz
UN
Ajka
106

Lausanne
Finsteraarhorn
4274
St. Gotthard
2108
Chur
St. Moritz
Ortler
3899
Bozen
(Bolzano)
Marmolada
3342
Dolomiten
Plöckenpass
1360
Villach
Klagenfurt
2140
Maribor

Genf
(Genève)
Annecy
Simplon
2005
Piz Bernina
4049
Adamello
3554
Sondrio
Friaul
Karawanken
Triglav
2863
SLOWENIEN
Plattensee
(Balaton)

Montblanc
4807
Matterhorn
4478
Monte Rosa
4634
Gran
Paradiso
4061
Como
Bergamo
Udine
Ljubljana
KROATIEN
7

In der Mitte Europas

■ Ist Ihr Land Mitglied in der EU?

■ Glauben Sie, dass Ihr Land davon profitiert (oder profitieren würde)?

1_In der EU ◎1

Die Bundesrepublik Deutschland gehörte zu den
Gründungsmitgliedern der EWG, der Europäischen
Wirtschaftsgemeinschaft. Seit 1995 hat der „Club" –
er heißt jetzt Europäische Union (EU) – erstmals eine
gemeinsame Grenze mit Russland.
Nach dem Ende des Kalten Krieges und der Wende in
Deutschland hat der Prozess der europäischen Einigung
eine neue Dynamik bekommen. Der Europäische Wirtschaftsraum, zu dem auch Nicht-EU-Mitglieder wie das
deutschsprachige Liechtenstein gehören, ist seit 1994
Realität. Das bedeutet: freier Verkehr „ohne Grenzen"
von Waren, Kapital, Dienstleistungen und Personen.
Die EU ist ein wichtiger Garant für die politische und
wirtschaftliche Stabilität in ganz Europa geworden und
wird sich in den nächsten Jahren weiter ausdehnen.
Deutschland hat als stärkste Macht in der Gemeinschaft eine besondere Verantwortung und „handfeste"
Interessen: Ungefähr 66 % aller deutschen Exporte
gehen in andere EU-Länder.

Der Sitzungssaal des
Europäischen Parlaments
in Straßburg. Hier beraten
Abgeordnete aus allen
Mitgliedsstaaten.

2_Starke Partner

Anfang 1995 ist Österreich – zusammen mit Finnland und
Schweden – neues Mitglied der EU geworden.
Die Gemeinschaft hat durch die Aufnahme Österreichs
gewonnen, denn die Wirtschaftskraft des Landes liegt über
dem EU-Durchschnitt.
Die Schweiz gehört weder zur EU noch zum Europäischen
Wirtschaftsraum (EWR): das Volk hat es so entschieden. Die
Beziehungen sind aber durch spezielle Verträge geregelt.

Der Startschuss für die Währungsunion ist am 1. Januar 1999
gefallen. Deutschland und Österreich gehören von Anfang
an zu den „Euroländern".

2_Fühlen Sie sich als Europäer?

»Als Europäer? Na, zuerst einmal bin ich Schweizer und dann vielleicht eher Weltbürger. Was Europa angeht, hat sich die Schweiz ja immer etwas draußen gehalten. Die EU hat bei vielen Schweizern eher ein schlechtes Image. Ich bin dafür, dass die Schweiz vor allem militärisch neutral bleibt. Aber wirtschaftlich und politisch gesehen brauchen wir Europa. Da dürfen wir nicht abseits stehen!«

»Ja, sicher. Das hat bestimmt auch damit zu tun, dass ich beruflich und privat viel in Europa unterwegs bin. Europa ist in den letzten Jahren immer mehr zusammengewachsen. Ich glaube, besonders für den Frieden ist das wichtig und richtig. Wenn man bedenkt, dass die meisten Länder jahrhundertelang verfeindet waren …«

1 Stellen Sie sich vor, Sie sind Politiker und wollen Ihre Zuhörer von der Idee eines geeinten Europa überzeugen. Notieren Sie ein paar Stichwörter und halten Sie eine kurze Rede.

2 Die Schweiz und die EU: Was wissen Sie darüber?

3 **a.** Welche Vorteile bietet eine Studien- oder Praktikumszeit im Ausland?
b. Können Sie sich vorstellen, in mehreren Kulturen und Sprachen zu Hause zu sein?

3_Lernen für Europa

„Ein Leben lang lernen" – das ist das gemeinsame Motto der Programme, mit denen die EU die Internationalisierung von (Hoch)Schul- und Berufsbildung fördert. Auch in diesen Bereichen sollen die Bürger mobiler werden und durch den Austausch mit anderen Europäern Neues lernen und entwickeln.
Eine richtige „Erfolgsgeschichte" ist das Programm ERASMUS, das die Zusammenarbeit von Hochschulen in ganz Europa unterstützt. Studenten können bis zu einem Jahr an einer Universität im Ausland verbringen und erhalten während dieser Zeit ein Stipendium. Auch Dozenten und Professoren nehmen an Austauschprojekten teil.
Wer im Ausland studiert oder ein Praktikum macht, kann viele Vorteile „mitnehmen". Er verbessert seine Fremdsprachenkenntnisse oder erlernt sogar eine neue Sprache; er verbessert seine Chancen auf dem Arbeitsmarkt; er lernt eine andere Kultur kennen und versteht dadurch auch die eigene besser.

Der Humanist Erasmus von Rotterdam

4_ERASMUS in Zahlen

(ERASMUS = European Region Action Scheme for the Mobility of University Students)
- seit 1987
- 33 Teilnahmeländer in Europa
- ca. 270 deutsche Hochschulen schicken jährlich rund 22 500 Studenten und 2600 Dozenten ins Ausland (Platz 1 im internationalen Vergleich)
- aus dem Ausland kommen ca. 17 000 Studierende und auch 2600 Dozenten
- das Stipendium beträgt im Durchschnitt 200 €

Man spricht Deutsch

- Was fällt Ihnen leichter:
  - a. Deutsch sprechen?
  - b. Deutsch lesen und verstehen?
  - c. Deutsch hören und verstehen?

1_Nicht nur in Deutschland ◎2

Rund 100 Millionen Menschen sprechen Deutsch als Muttersprache. Die meisten davon leben in der Bundesrepublik, in Österreich, in der Schweiz und in Liechtenstein. Diese Länder benutzen die gleiche Schriftsprache, aber es gibt große Dialektunterschiede. Manchmal ist der Unterschied in der Aussprache so groß, dass sich zwei „Muttersprachler" nicht verstehen können! Deutschsprachige Gebiete gibt es auch in Luxemburg, Belgien, Frankreich (Elsass) und in Italien (Südtirol). In der Tschechischen Republik und in Polen ist die deutschstämmige Bevölkerung als Minderheit anerkannt. Deutsch ist zwar keine Weltsprache, aber es bleibt vor allem als Handelssprache in Europa wichtig. In der ganzen Welt lernen immerhin fast 20 Millionen Menschen Deutsch als Fremdsprache.

2_Es leben die Mundarten!

Bis ins Mittelalter gab es noch keine einheitliche deutsche Sprache. Die verschiedenen Stämme im deutschen Sprachraum hatten alle ihre eigenen Dialekte und Latein war lange Zeit die einzige Schriftsprache. Die süd- und mitteldeutschen Mundarten bildeten allmählich die deutsche Standardsprache.
Auch heute sprechen noch viele Leute Dialekt, zum Beispiel Alemannisch, Bairisch, Hessisch, Sächsisch oder Tirolerisch. Die Sprecher des Plattdeutschen (platt = nieder) haben sogar ihre eigene Fernsehsendung: „Talk op Platt". Viele österreichische Dialekte sind mit dem Bairischen verwandt. In der deutschsprachigen Schweiz ist Schwyzerdütsch Umgangssprache für alle.

In einem bayerischen Dorf weiß man wahrscheinlich nicht, was eine „Schrippe" ist. Aber alle kennen das Standardwort „Brötchen".

Hamburg

Berlinerisch: Schrippe

Hochdeutsch: Brötchen

Berlin

Köln

Fränkisch: Laabla

Frankfurt

Bayrisch: Semmel

Südwestdeutschland: Weck(en)

München

Stuttgart

Wien

Schwyzerdütsch: Büri, Weggli

Zürich

Österreichisch: Semmel, Laibchen

Bern

Eine Luther-Bibel   Druckerei um 1500

1 a. In welchen Nachbarländern der BRD ist Deutsch Amts- bzw. Staatssprache?

b. Gibt es in Ihrer Muttersprache Wörter, die aus dem Deutschen kommen?

2 a. Gibt es in Ihrer Muttersprache Dialekte, die Sie nicht verstehen?
b. Sprechen Sie selbst Dialekt?

3 Gab es vor Gutenbergs Erfindung keine Bücher?

4 a. Welche Schwierigkeiten der deutschen Sprache werden im Text genannt?
b. Welches ist das längste deutsche Wort, das Sie kennen?

3_Das Buch der Bücher

Zwei Männer waren sehr wichtig für die Verbreitung der deutschen Schriftsprache: Johannes Gutenberg erfand die moderne Druckerpresse und stellte damit die ersten Bücher her. Seine Bibelausgabe von 1455 war aber noch auf Lateinisch.

Der Kirchenreformator Martin Luther schrieb Bücher auf Deutsch und übersetzte als Erster die ganze Bibel ins Deutsche. Die Nach- und Raubdrucke seiner Werke machten ihn zum ersten Bestsellerautor.
Um 1520 war jedes dritte Buch in deutscher Sprache von Luther.

4_Deutsche Sprache, …

… schwere Sprache. Es ist nie einfach, eine fremde Sprache zu lernen, und viele Leute glauben, Deutsch sei besonders schwierig. Sogar Martin Luther hatte sein ganzes Leben Probleme mit der Orthographie – oder Orthografie, wie man jetzt schreiben darf.
Sprachen entwickeln und verändern sich ständig, sie werden auch durch andere Sprachen beeinflusst. Im Zeitalter von Werbung und Massenmedien hat vor allem der Gebrauch von Wörtern aus dem Englischen und Amerikanischen zugenommen. Manche Leute stören sich daran, aber jüngere Leute finden diese Anglizismen oft „cool" und ganz „in".
Deutsch ist sehr wortreich – man benutzt zwischen 300 000 und 500 000 Wörter. Was sind die größten Probleme? Die drei Artikel, die man auswendig lernen muss, und die vielen langen Wortzusammensetzungen.
Auch deutsche „Schachtelsätze" sind manchmal wahre Monster. Sie sind wie russische Holzpuppen: Man packt einen Nebensatz in einen Hauptsatz und in den Nebensatz wieder einen Satz und …

Die liebe Familie

■ Was ist eine Familie? Eltern und Kinder? Gute Freunde? Oder …?

1_„Zusammen sind wir 243 Jahre alt"

Ururgroßmutter Emma heiratete schon mit 17 Jahren, bekam mit 18 ihr erstes Kind und hatte mit 32 bereits sieben Kinder.

„Haushalt und Kinder, das war ganz allein meine Aufgabe. Mein Mann hat sich darum nie gekümmert. Aber trotzdem war er der Herr im Haus."

„Mein Vater war sehr streng, wir Kinder haben ihn mehr gefürchtet als geliebt", sagt ihre Tochter, Magdalene. Auch sie heiratete ziemlich früh und hatte fünf Kinder.

Elisabeth ist ihr zweites Kind: „Ich habe nur gute Erinnerungen an meine Kindheit. Meine Eltern waren zwar oft streng, aber es gab nie Schläge oder Ohrfeigen." Sie machte das Abitur und wurde Fremdsprachensekretärin. Heute, zwei Jahre nach der Trennung von ihrem Mann, arbeitet sie wieder. Aber es ist nicht leicht für sie, allein und unabhängig zu leben.

Ihre Tochter Sabine kann das nur schwer verstehen: „Kevins Vater und ich leben zusammen, aber wir wollen nicht heiraten. Ich verdiene mein eigenes Geld und wir teilen uns die Arbeit im Haushalt. Wir sind auch eine Familie, aber eben etwas anders als früher!"

Und Kevin? Er findet es gut, dass er so viele Omas hat!

2_Graue Power

Der Rentner Rudolf S. (74) fühlt sich nicht mehr einsam und nutzlos. Er wird noch gebraucht.

Sein Name steht in der Kartei des „Senior Experten Service", denn der ehemalige Unternehmer hat Fachwissen und jahrzehntelange Berufserfahrungen. Er hilft Firmen in Deutschland und im Ausland.

In der Bonner Zentrale der Organisation sind über 7500 „Experten mit weißen Haaren" registriert. Projekte wie diese geben den Alten sinnvolle Aufgaben in der Gesellschaft und die Jungen profitieren davon.

Großeltern, Eltern und die beiden Kinder posieren für ein Familienfoto.

3_Weniger Kinder, mehr Alte

In Deutschland gibt es immer mehr alte Menschen.
Die Geburtenrate sinkt. Viele Paare wollen nur noch ein
Kind oder gar keine Kinder. Die Statistiker sagen voraus:
Im Jahr 2040 sind 30 Prozent der Bundesbürger älter als
65 und immer mehr leben allein.

4_Auf Neudeutsch: Restfamilie

only 17%. raised by Mother/Father

Ungefähr 17% aller Kinder in Deutschland wachsen
nur bei der Mutter oder dem Vater auf. Die „komplette"
Familie ist trotzdem immer noch das Ideal. Viele Leute
denken, dass Kinder, die nur von einem Elternteil erzogen
werden, große Probleme und Nachteile in ihrem Leben
haben.
Stimmt das?

1
a. Wie hat sich in Ihrem Land das Leben der Frauen in den letzten 100 Jahren verändert?
b. Sind Sie für oder gegen eine strenge Erziehung der Kinder?

2 Wie stellen Sie sich Ihr Leben als Rentner vor?

3
a. Welche Probleme bringt es mit sich, dass es immer mehr alte Menschen gibt:
  – für junge Leute;
  – für alte Leute?
b. Wie ist das in Ihrem Land? Gibt es dort auch immer weniger Kinder und mehr alte Menschen?

4 Was ist Ihre Meinung zum Thema „Restfamilie"? Sind Sie in einer „kompletten" Familie groß geworden?

5 Gibt es in Ihrem Land den Beruf Hausmann? Was denkt man darüber?

»Aus mir ist auch ohne
Vater etwas geworden. Er
ist weggegangen, als ich
fünf Jahre alt war. Erst seit
kurzem habe ich wieder
Kontakt zu ihm. Ehrlich
gesagt habe ich meinen
Vater nicht groß vermisst.
Meine Mutter und meine
Großeltern haben sich gut
um mich gekümmert.«

5_Beruf: Hausmann ◎3 *stay at home dads*

Die meisten Männer in Deutschland arbeiten immer noch
ganztags und die Frauen kümmern sich um Haushalt und
Kinder. Aber zehn Prozent der deutschen Männer möchten gern
„Hausmann" sein – zumindest für ein paar Jahre. Tatsächlich
gibt es aber sehr wenige Hausmänner. Das sind normalerweise
jüngere, gebildete Männer mit progressiven Ideen – und ihre
Partnerinnen haben eine gut bezahlte Arbeit.

◎4

»Ich hatte die Nase voll vom Stress im Beruf, meine Frau wollte
ihre Karriere nicht aufgeben. Wir haben die Rollen einfach
getauscht. Einige Ex-Kollegen lachen, aber ich bin ganz zufrieden.
Die Hausarbeit finde ich langweilig, aber ich bin froh, dass ich so
viel mit meinen Kindern zusammen sein kann. Andere Männer
spielen doch höchstens am Wochenende den Papa.«

Die Weihnachtszeit ist heute oft hektisch und von Kommerz bestimmt. Aber einige Weihnachtsmärkte sind noch sehr stimmungsvoll – der Christkindlesmarkt hier in Nürnberg ist schon 350 Jahre alt.

In Österreich und manchen Teilen Bayerns kommt der Nikolaus mit einem schwarz bemalten Kerl als Begleiter. Er heißt „Krampus" und macht den kleinen Kindern Angst.

Krampus scares kids

Im Salzburger Land sammeln die Sternsinger in der Zeit um den Dreikönigstag (6. Januar) Geld für die Armen.

Die Lichter brennen

■ Was feiern Sie gern?

1_Advent, Advent ◉ 5

Christmas party

Der Advent beginnt vier Sonntage vor dem Weihnachtsfest. In den Wohnungen, aber auch in öffentlichen Gebäuden oder am Arbeitsplatz, sieht man grüne Adventskränze mit vier roten Kerzen. *candles* An den vier Sonntagen vor dem Heiligen Abend zündet man jeweils eine Kerze an. Die Kinder bekommen einen Adventskalender: Darin finden sie kleine *small gift* Geschenke oder Schokolade für jeden Tag vom 1. bis zum 24. Dezember.
Der 6. Dezember ist der Nikolaustag. Am Abend vorher stellen die Kinder ihre Schuhe vor die Tür. Am nächsten Morgen finden sie dann Süßigkeiten und kleine Geschenke darin. Sie glauben, der Nikolaus hat sie gebracht.

2_Alle Jahre wieder ◉ 6

important

Weihnachten ist immer noch das wichtigste Familienfest. Es beginnt in Deutschland am Abend des 24. Dezember, dem Heiligen Abend. Die Eltern und die älteren Kinder schmücken den Weihnachtsbaum während des Tages. Am Abend ist dann die Bescherung – man verteilt die Geschenke. Die kleinen Kinder glauben, dass das *believe* Christkind (sie stellen es sich als Engel vor) oder der Weihnachtsmann die Geschenke bringt. Oft sagen die Kinder ein kleines Gedicht auf und viele Familien singen zusammen Weihnachtslieder. An den Weihnachtsfeiertagen (am 25. und *you drink a lot* 26. Dezember) isst und trinkt man sehr viel. Typische Weihnachtsgerichte sind gebratene Gans, gefüllt mit Äpfeln und Rosinen, Truthahn oder Karpfen. *filled*

Solche Adventskarusselle, nur viel kleiner natürlich, gehören in vielen Familien zur weihnachtlichen Dekoration. Der „Riese" steht im Spielzeugmuseum in Seiffen im Erzgebirge.

In der Adventszeit bastelt und backt man viel zu Hause.

baking a lot

Der Tannenbaum als Weihnachtssymbol kommt ursprünglich aus Deutschland. Heute hat man in vielen Ländern der Erde einen Weihnachtsbaum.

1 Welche Bräuche gibt es für die Zeit vor dem Weihnachtsfest?

2 Viele Leute finden, die Weihnachtszeit hat nichts mehr mit Christi Geburt zu tun. Was meinen Sie?

3 a. Feiern Sie in Ihrem Land Weihnachten? Und wenn ja, wie?
b. Was ist eine „Krippe"? Welche Bedeutungen des Worts finden Sie in Ihrem Wörterbuch?

3_Wie die Nachbarn feiern

Auch in Österreich und der Schweiz liegen am 24. Dezember die Geschenke unter dem Weihnachtsbaum. In katholischen Familien steht dort auch oft eine Krippe mit der Heiligen Familie im Stall von Bethlehem. *Catholic*

Der 24. Dezember war früher bei den Katholiken ein Fasttag. Deshalb gibt es vor allem in einigen Regionen Österreichs am Heiligen Abend ein ganz einfaches Essen, z. B. Fisch oder Würstchen. Gläubige besuchen natürlich an diesem Abend auch den Gottesdienst, die Weihnachtsmesse.

In der Schweiz arbeitet man am 24. Dezember oft bis 16 Uhr und hat dann wenig Zeit für Essensvorbereitungen. In vielen Familien gibt es Fondue oder gefüllte Pasteten. Am ersten Weihnachtsfeiertag kommt traditionellerweise Geflügel auf den Tisch: Gans, Ente oder auch Truthahn. Zwischendurch locken selbstgebackene „Guetzli" (Schwyzerdütsch für Plätzchen, Kekse) oder Christstollen und Lebkuchen.

Kirche, Feste und Bräuche

■ Welche Feste und Bräuche in Ihrem Land
sind ursprünglich religiös?

1_Silvester

Am Silvesterabend (31. Dezember)
finden überall Partys und Silvesterbälle
statt. Die Leute feiern mit der Familie
und Freunden, meistens sehr laut und
lustig. Ein beliebter Silvesterbrauch
ist das Bleigießen: Man schmilzt Blei
und taucht es in Wasser. Aus den dabei
entstehenden Formen und Figuren
versucht man die Zukunft zu lesen.
Um Mitternacht trinken alle Sekt und
wünschen sich „ein frohes neues Jahr".
Dann geht man nach draußen und
bewundert das Feuerwerk und zündet
selbst ein paar Raketen und Knaller an.

[handwritten: lots of New Years Partys]
[handwritten: lead-casting]
[handwritten: outside]

2_Kirche und Glaube

[handwritten column labels: Germany, Austria, Czech Rep.]

	D	A	CH
katholisch	*29,9%	73,6%	38,2%
protestantisch	28,9%	4,7%	26,9%
muslimisch	4,9%	4,2%	4,9%
andere	2,2%	3,5%	1,6%
keine Religionszugehörigkeit	34,0%	12,0%	21,4%

* In Süddeutschland ist der Anteil der Katholiken sehr viel höher.

»Nee, ich hab mit der Kirche eigentlich nichts zu schaffen.
Ich bin zwar getauft, aber als Studentin bin ich ausgetreten.
Heute ist doch der Glaube eine ganz freie und individuelle
Angelegenheit. Ich find's aber gut, wenn die Kirchen sich um
Alte und Kranke kümmern. Und letztes Jahr war ich sogar am
Weihnachtsabend in der Kirche – meiner Mutter zuliebe!«

In Österreich gibt es spezielle Traditionen,
wie z.B. die Palmweihe am Sonntag vor Ostern.

3_Ostern

Ostern ist ein christliches Fest, aber die Bräuche
kommen aus der Zeit vor dem Christentum. Der
„Osterhase" bringt kleinen Kindern Süßigkeiten
und versteckt sie in der Wohnung und im
Garten. Die Kinder suchen die Eier und die
Hasen aus Schokolade.

Kostüme und Masken gehören
zum Karnevalstreiben.

4_Karneval ◎7

Im Rheinland sagt man Karneval,
in Schwaben und in der Schweiz
Fas(t)nacht und in Bayern Fasching.
In diesen Regionen feiert man
die Karnevalszeit im Februar am
intensivsten.
Im Mittelalter und noch früher
wollten die Menschen mit häss-
lichen Masken und viel Lärm die
Geister des Winters vertreiben.
Man feiert den Karneval sehr
unterschiedlich in den einzelnen
Regionen, aber Singen, Tanzen, viel
Lärm und (viel) Alkohol gehören
überall dazu.

◎8

*»Ich bin in Köln geboren und aufgewachsen und ein Jahr
ohne Karneval kann ich mir überhaupt nicht vorstellen.
Richtig los geht es am Donnerstag vor Aschermittwoch
mit der Weiberfastnacht. Am Rosenmontag und
Karnevalsdienstag feiern alle draußen auf den Straßen
und Plätzen. Das Schöne am Karneval für mich ist, dass
die Leute den normalen Alltag einfach mal vergessen.«*

1 Wie feiert man in Ihrem Land den Jahreswechsel?

2 Wie wichtig ist die Religion für die Menschen in Ihrem Land?

3 Gibt es Osterbräuche in Ihrer Heimat?

4 **a.** Richtig oder falsch?
… Am Rosenmontag und am Karnevalsdienstag ist in Köln am meisten los.
… In der Schweiz heißt der Karneval Fasching.
… Beim Rosenmontagsumzug feiern alle auf den Straßen.
b. Gibt es in Ihrem Land auch Karneval? Oder andere Feste, für die man sich verkleidet?

5 Schreiben Sie mit Hilfe der statistischen Informationen einen kurzen Bericht über das Oktoberfest (z. B.: Das Münchner Oktoberfest hat über 6 Millionen Besucher …)

5_Brezn, Bier und Blasmusik

Das Münchner Oktoberfest
ist für die vielen Besucher aus
aller Welt *das* deutsche Bierfest.
Es beginnt schon im September,
endet am ersten Sonntag im
Oktober und hat seit 1810 fast jedes Jahr
stattgefunden. Früher war das Oktoberfest auch
Messe und Markt für die Landwirtschaft. Heute ist es eine
riesige Kirmes mit Essen, Trinken und bayerischer Folklore.
Jede der großen Münchener Brauereien stellt ein eigenes
Bierzelt auf. Wer dort als Kellnerin arbeiten will, muss kräftig
sein: Fünf bis sechs Maß Bier (1 Maß = 1 Liter) in jeder Hand
sind keine Kleinigkeit!

Oktoberfest München 2014
20.9. – 5.10.2014

Besucher	über 6 Millionen
Bierverbrauch	6,5 Mio. Liter
Bierpreis (1 Liter)	9,70 bis 10,10 €
Würstchen	120 000 Paar
Brathendl	510 000 Stück
Ochsen	112
Abfall	1300 Tonnen

⌐ waste

17

So wohnt man

■ Wie wohnen die Teilnehmer in Ihrem Kurs?
Führen Sie eine Umfrage durch.

Um ihren Traum vom Eigenheim zu verwirklichen,
investieren viele Familien eine Menge Geld und Arbeit!

1_Mieten oder besitzen?

Etwa 53 % der Bundesbürger besitzen
eine Eigentumswohnung oder ihr
eigenes Haus, weniger als in anderen
europäischen Ländern. Nur in der
Schweiz gibt es noch weniger Haus- und
Wohnungseigentümer. Fast zwei Drittel
der Wohnungen in Deutschland sind
Mietwohnungen.
Wer die Miete (20 bis 25 % des Netto-
einkommens) nicht „verschenken"
möchte, kauft eine Wohnung oder lässt
ein Haus bauen. Normalerweise nimmt
man dafür einen hohen Kredit von der
Bank auf. Die stolzen Besitzer eines
neuen Eigenheims sind also erst einmal
„haushoch" verschuldet.

*»Also, ich finde es besser, zur Miete
zu wohnen. Gerade in der heutigen
Zeit ist es doch wichtig mobil zu
bleiben. Außerdem könnte ich
nachts nicht mehr ruhig schlafen,
wenn ich so hohe Schulden hätte
wie die meisten Häuslebauer.«*

*»Ein eigenes Haus ist doch eine tolle Sache. Hier
kann mir niemand Vorschriften machen oder
kündigen. Meine Frau und ich haben alles nach
unseren Vorstellungen geplant. Wenn alles gut geht,
sind wir in zehn Jahren schuldenfrei. Wer zur Miete
wohnt, schmeißt sein Geld doch zum Fenster raus.«*

2_Statistisch gesehen ...

... wohnen die Deutschen nicht schlecht. Sie haben ausreichend Platz:
im Durchschnitt über 45 Quadratmeter pro Person. Und die meisten
haben Zentralheizung, Bad / Dusche und WC. Haushalte, die wenig
Einkommen haben, können Wohngeld beantragen (das ist ein Zuschuss
zur Miete) oder das Sozialamt übernimmt die Mietzahlung.
... sind aber auch fast eine halbe Million Menschen in Deutschland
obdachlos. Es gibt zu wenig preiswerte Sozialwohnungen und immer
mehr Menschen, die aus dem sozialen Netz rausfallen. Vor allem allein
stehende Arbeitslose und Ausländer, aber auch Rentner und kinderreiche
Familien landen in Heimen und Containern oder im schlimmsten Fall auf
der Straße.

Wohnungen in schön sanierten Altbauten sind attraktiv – egal ob als Miet- oder Kaufobjekt.

Solche kommunalen Wohnanlagen, wie der Karl-Marx-Hof, sind in den 20er-Jahren in Wien entstanden. Man nannte sie „Volkswohnpaläste", weil sie mit Bädern, Kindergärten und Waschküchen komfortabel und sozial waren.

1 **a.** Was sind die Vor- und Nachteile einer Mietwohnung?
b. Sehen Sie sich die Fotos an: Wo möchten Sie am liebsten wohnen?

2 Welche Hilfen gibt es für sozial schwache Mieter?

3 **a.** Beschreiben Sie die beiden Wohnzimmer. Gibt es Unterschiede? Wer wohnt hier, denken Sie?
b. Sehen Wohnzimmer in Ihrem Land anders aus?

4 Finden sie heraus, wie viele Menschen ohne festen Wohnsitz in Ihrem Land leben.

3_Deutschland privat ⊚9

Das deutsche Wort „Gemütlichkeit" lässt sich nur schwer in andere Sprachen übersetzen. Die Deutschen, Österreicher und Schweizer haben es gern gemütlich und sie verbringen viel Zeit in ihren vier Wänden. Der zentrale Raum ist meistens das Wohnzimmer.

Es ist fast überall ähnlich eingerichtet: Es gibt ein bequemes Sofa mit passenden Sesseln, einen niedrigen Couchtisch, eine Schrankwand oder Bücherregale, Stehlampen, einige Zimmerpflanzen, nicht zu vergessen die Kissen auf dem Sofa und die Bilder an der Wand darüber.

Meistens hängen Gardinen und Vorhänge an den Fenstern. So will man seine private Sphäre vor fremden Blicken schützen.

4_Obdachlos

„Ich bin arbeitslos geworden, konnte die Miete nicht mehr zahlen. Zuerst bin ich bei 'nem Kumpel untergekommen. Aber das war alles ziemlich stressig, seine Freundin wollte mich raushaben. Jetzt schlafe ich im Heim. Mit dem Verkauf der Obdachlosenzeitung verdien ich 'n paar Euro. Is' nicht viel, aber vielleicht komm ich dadurch wieder hoch."

Schul- und Lehrjahre

■ Wann beginnt in Ihrem Land die Schulpflicht?
Wann endet sie?

1_Schule muss sein! ⑩ 10

Schüler in Deutschland gehen im
Durchschnitt lange zur Schule.
Gymnasiasten haben oft erst mit
20 Jahren das Abschlusszeugnis
in der Tasche.
Im Alter von drei Jahren gehen
viele Kinder in den Kindergarten. Wenn sie sechs Jahre
alt sind, beginnt mit der Grundschule der „Ernst des Lebens".
Am ersten Schultag bekommt
jedes Kind eine Schultüte – das
ist eine große, bunte Papptüte
mit Bonbons und kleinen
Geschenken.
In der ersten und zweiten
Klasse ist der Unterricht noch
sehr spielerisch. Ab der dritten
Klasse schreiben die Schüler
regelmäßig Klassenarbeiten und
bekommen Noten dafür. Wenn
ein Schüler am Ende des Schul-
jahrs sehr schlechte Noten hat,
muss er die Klasse wiederholen.
„Sitzen bleiben" nennt man das.

An den Waldorfschulen wird mit allen
Sinnen gelernt.

2_Die richtige Wahl

Nach der Grundschule gibt es drei große Schultypen:
Hauptschule, Realschule und Gymnasium. Eine Alternative
dazu ist die Gesamtschule. Dort sind alle drei Schulformen
unter einem Dach und für die Schüler ist es einfacher, den
Schultyp zu wechseln.
Die Hauptschule endet mit der 9. oder 10. Klasse. Die meisten
Jugendlichen beginnen dann eine Lehre und besuchen
gleichzeitig die Berufsschule.
Die Realschule bereitet auf technische, kaufmännische und
soziale Berufe vor. Realschüler machen nach der 10. Klasse
ihren Abschluss, die sogenannte „Fachoberschulreife". Mit
diesem Abschluss kann man später auch noch studieren.
Gymnasiasten gehen am längsten zur Schule: bis zum Abitur
nach der 12. oder 13. Klasse. Dann sind sie aber noch lange
nicht mit der Ausbildung fertig.
In der BRD ist Bildungspolitik Sache der einzelnen
Bundesländer. Es gibt Unterschiede und immer wieder
werden Alternativen zum bisherigen System diskutiert.

»Bei uns fängt der Unterricht um halb acht an. Dreimal
in der Woche muss ich bis halb vier bleiben. Am Mittwoch
habe ich nachmittags Neigungsunterricht: Ich bin in der
Theatergruppe, andere spielen Fußball oder Tischtennis oder
machen im Tanzkurs mit. An den langen Tagen gehe ich zum
Mittagessen in die Schulmensa. Zum Glück haben wir nicht so
viele Hausaufgaben, aber zu Hause lernen muss ich natürlich
trotzdem. Ganz schön stressig, so ein Schülerleben …!«

3_Andere Schulsysteme

Das Schulsystem in Österreich ist ähnlich wie in Deutschland. In der Schweiz jedoch spielen die politischen, kulturellen und sprachlichen Unterschiede eine Rolle. Es gibt 26 Kantone und deshalb auch 26 verschiedene Schulstrukturen. Das Abitur heißt in beiden Ländern Matura.

1 Was bedeutet „sitzen bleiben"?

2 Schreiben Sie einem Freund in Deutschland und berichten Sie über das Schulsystem in Ihrem Land.

3 Kennen Sie das deutsche Wort für „Abitur" oder „Matura"?

4 In welchen Punkten unterscheiden sich Waldorfschulen von staatlichen Schulen?

5 Kennen Sie Frauen, die in Männerberufen, oder Männer, die in typischen Frauenberufen arbeiten?

4_Waldorfschulen

Eine steigende Anzahl von Schülern in Deutschland besucht private Schulen. Die meisten werden von kirchlichen Trägern geführt. Auch die Freien Waldorfschulen orientieren sich an eigenen ideologischen und pädagogischen Prinzipien. Der Name kommt von der Waldorf-Astoria-Zigarettenfabrik in Stuttgart. Der Österreicher Rudolf Steiner hat dort im Jahre 1919 die erste Waldorfschule aufgebaut: für die Kinder der Fabrikarbeiter. An den Waldorfschulen gibt es kein Sitzenbleiben und kein traditionelles Notensystem. Die Waldorfschüler haben Unterricht in allen üblichen Fächern und werden auf staatliche Prüfungen vorbereitet, aber die handwerkliche und künstlerische Erziehung ist auch sehr wichtig. Neben Malen, Musik und Eurythmie lernen die Schüler auch Tischlern, Töpfern, Buchbinden und vieles mehr.

5_Lehre oder Abi? ◉ 11

Stefanie macht jetzt seit einem Jahr eine Lehre als KFZ-Mechanikerin. Ihre Eltern wollten, dass sie erst das Abitur macht, aber Stefanie sagt, dass sie ja nach der Lehre noch an die Fachoberschule gehen und dann studieren kann.
Stefanie ist froh, dass sie sich für einen technischen Beruf entschieden hat. Die Arbeit in der Werkstatt macht ihr Spaß, auch wenn sie abends schmutzig und hundemüde nach Hause kommt. Zweimal in der Woche muss sie in die Berufsschule. Dort hat sie weiter allgemeinen Unterricht in Fächern wie Deutsch, Englisch, Sport, aber auch in speziellen berufstheoretischen Fächern. Michaela geht noch ins Gymnasium und macht dieses Jahr Abitur. Sie möchte Journalistin werden. Hier beschreibt sie ihre Pläne.

◉ 12

»Nach dem Abitur möchte ich erst mal ein Jahr lang was ganz anderes machen. Ich werde in Neuseeland auf einem Bauernhof arbeiten. Wenn ich zurückkomme, möchte ich Politik und Chinesisch studieren. Das Studium kann ziemlich lange dauern. Ich schätze, dass ich erst mit 27 fertig bin!«

Noch mehr Bildung

■ Wie lange dauert in Ihrem Land ein Studium?

1_An der Uni

In Deutschland zieht es nicht so viele junge Leute zum Studieren, wie man meinen könnte. Wenn man einen Jahrgang im Vergleich zu anderen Industrieländern betrachtet, haben weniger eine „Lizenz" zum Studieren und von diesen entscheiden sich auch nur etwa 70 % für den Weg zur Hochschule. Es fehlen vor allem Ingenieure und Absolventen in den naturwissenschaftlich-technischen Fächern. Experten sagen, dass die Regierung mehr Geld zur Beendigung der Dauerkrise im Bereich Bildung investieren muss.

Die Studienbedingungen in Europa gleichen sich immer mehr an: Auch an deutschen Hochschulen heißt der Abschluss jetzt Bachelor (3 Jahre) oder Master (weitere 2 Jahre).

Studiengebühren werden an deutschen Hochschulen nicht mehr erhoben. Völlig kostenfrei ist das Studium aber dennoch nicht. In der Regel müssen die Studierenden pro Semester eine Verwaltungsgebühr bezahlen.

Auch Wohnen und Lebenshaltung sind teuer, so dass viele Studenten einen Nebenjob haben.

Die Universität Heidelberg ist Deutschlands älteste.

2_ Top 10: Die beliebtesten Studienfächer

Männer		Frauen	
Betriebswirtschaftslehre (ohne int. BWL, Management)	91398	Betriebswirtschaftslehre (ohne int. BWL, Management)	84233
Maschinenbau	84648	Germanistik / Deutsch	61756
Informatik	58942	Medizin	49022
Elektrotechnik	50248	Rechtswissenschaft	47925
Rechtswissenschaft	41406	Erziehungswissenschaft (Pädagogik)	38936
Wirtschaftsingenieurwesen	39638	Anglistik / Englisch	31917
Wirtschaftswissenschaften	38895	Biologie	30740
Medizin	30907	Wirtschaftswissenschaften	29974
Wirtschaftsinformatik	28036	Psychologie	29950
Physik	26241	Mathematik	26279

Wie die Statistik (Stand Wintersemester 2009/2010) zeigt, fällt die „Hitliste" der Studienfächer für Studentinnen und Studenten ganz unterschiedlich aus.

3_Studieren – wie und wo?  13

Für Susanne aus Ingolstadt war es gar nicht so einfach, einen Studienplatz an der Uni in München zu bekommen. In ihrem Fach Medizin gibt es nur eine begrenzte Anzahl Studienplätze: die Abiturnoten entscheiden. Auch andere Fächer wie Jura und Maschinenbau sind überlaufen. Die Seminare sind überfüllt und persönliche Kontakte zwischen Professoren und Studenten gibt es selten. Trotzdem will Susanne nirgendwo anders hin. Denn in München ist immer etwas los und Jobs für Studenten gibt es auch.

Andreas aus Köln ist zum Studium nach Ostdeutschland gegangen. Er studiert seit drei Semestern an der Hochschule Neubrandenburg Agrarwirtschaft. In Neubrandenburg gibt es ein paar Kneipen und Klubs und man lernt sehr schnell andere Studenten kennen. In den Seminaren gibt es noch genügend Sitzplätze und die Dozenten und Professoren haben immer ein offenes Ohr und Zeit für die Studenten.

1 Muss man in Ihrem Land Studiengebühren zahlen?

2 Wie sieht die Top 10 der Studienfächer in Ihrem Land aus?

3 Würden Sie lieber in München oder in Neubrandenburg studieren? Warum?

4 Manche Unternehmen bezahlen nur sehr wenig oder gar nichts für die Arbeit eines Praktikanten. Was denken Sie darüber?

4_Praxis ist alles

„Haben Sie schon Berufserfahrung?" Diese Frage hören viele Studenten, wenn sie nach dem Studium einen Arbeitsplatz suchen. In einigen Fachbereichen, z. B. bei den Ingenieuren, gehören Praktika vor Beginn und während des Studiums dazu. Aber Studenten anderer Fachrichtungen lernen an den Unis vor allem graue Theorie.
Mit einem Praktikum im Ausland kann man seine Jobchancen zusätzlich verbessern. Es gibt eine Menge von Programmen und Fördermöglichkeiten – vor allem innerhalb der EU. Aber Studenten und Berufsanfänger brauchen oft viel Zeit und Energie, um das passende Angebot zu finden.

Hochschulen in historischem Gemäuer und mit einem grünen Campus bieten besondere „Studier-Qualitäten".

»Heute muss man ganz schön diszipliniert sein, wenn man Studium und Praktika in der regulären Zeit hinter sich bringen will. Ich finde es schade, dass immer weniger Zeit zum Reisen oder für interdisziplinäre Projekte bleibt.«

Das halbe Leben

- „Arbeit ist das halbe Leben", sagt ein deutsches Sprichwort. Wie verstehen Sie diese Aussage? Welchen Platz soll die Arbeit im Leben einnehmen? Was meinen Sie?

1_Arbeitsleben

In aller Welt sind die Deutschen berühmt für ihren Arbeitsfleiß und ihre Disziplin. Die Statistiker dagegen nennen die Deutschen „Freizeit-Weltmeister", weil sie relativ wenig arbeiten und viele freie Tage haben.

Die Arbeitsbedingungen sind in Deutschland genau geregelt. Jemand, der eine reguläre Anstellung hat, ist rechtlich und sozial weitgehend geschützt.

Aber die wirtschaftlichen und sozialen Strukturen in Deutschland ändern sich. Die Situation auf dem Arbeitsmarkt und im Beruf ist härter geworden. Arbeitslosigkeit ist inzwischen ein Teil der Lebenserfahrung vieler Menschen in Deutschland, egal ob Jung oder Alt, Mann oder Frau, Akademiker oder Nicht-Akademiker.

Normalarbeitnehmer/-innen und atypisch Beschäftigte
Angaben in Millionen

Normalarbeitnehmer/-innen   atypisch Beschäftigte

	1997		2007
(atypisch)	5,10 Mio.	+ 2,58 Mio.	7,68 Mio.
(normal)	24,02 Mio.	– 1,53 Mio.	22,49 Mio.

In Zukunft werden Arbeitsverhältnisse, die nicht mehr so sicher und stabil sind, normal sein: Anstellung auf Zeit, Leiharbeit, Mini-Jobs usw.

2_Mehr Arbeit

Verglichen mit Deutschland arbeiten die Schweizer mehr: Die durchschnittliche Arbeitszeit beträgt 41,6 Stunden. Schweizer Arbeitnehmer gehören aber auch zu den bestbezahlten aller Industrieländer. Die Arbeitslosenquote in der Schweiz ist sehr niedrig. Auch Österreich hat weniger Arbeitslose als die meisten EU-Länder.

3_Arbeit und Soziales

Arbeitszeit pro Woche (Vollbeschäftigte)	41,3 Stunden im Durchschnitt
Bezahlter Urlaub	durchschnittlich 30 Tage im Jahr
Krankheit, Krankenversicherung	In den ersten sechs Wochen zahlt der Arbeitgeber weiter, danach zahlen die Krankenkassen Krankengeld (max. 78 Wochen).
Pflegeversicherung	finanziert die Hilfe für Menschen, die Pflege brauchen, z. B. Behinderte oder chronisch Kranke
Arbeitslosenversicherung	Arbeitslosengeld, Elterngeld, Weiterbildung und andere Hilfen werden aus dieser „Kasse" gezahlt.
Rentenversicherung	Das Eintrittsalter für Rentner liegt derzeit bei durchschnittlich 63 Jahren.

Für die gesamte Sozialversicherung zahlen Arbeitnehmer in Deutschland über 20 % ihres Bruttoeinkommens.

4_Bei VW arbeiten

Der Volkswagenkonzern besitzt in Deutschland neun Fabriken. Die größte davon ist das VW-Werk in Wolfsburg. Hier arbeiten ungefähr 70 000 Menschen, viele von ihnen im Team und in Schichten. Volkswagen hat flexible Arbeitszeitmodelle eingeführt und damit Jobs gerettet. Die Beschäftigten arbeiten weniger, sie verdienen aber auch nicht so viel wie früher.

5_Arbeitsplatz gesucht

Endstation Agentur für Arbeit? Eins ist sicher: Die Angestellten der deutschen Arbeitsagenturen haben genug zu tun. Aber sie können nicht allen weiterhelfen. Besonders schwierig ist die Situation für gering Qualifizierte, Ausländer und die so genannten Langzeit-Arbeitslosen.

»Vor zwei Jahren hatte ich die Bandscheiben-operation und das war's. Eineinhalb Jahre hab ich Krankengeld bekommen, danach Arbeitslosengeld vom Arbeitsamt. In meinen alten Beruf kann ich aus gesundheitlichen Gründen nicht zurück. Deshalb hab ich keine große Hoffnung, dass ich noch mal Arbeit finde. In meinem Alter …!«

»Nach dem ersten Kind und zwei Jahren Elternzeit hatte ich wieder meinen alten Arbeitsplatz im Kindergarten, aber dann kam Lorenz. Als alleinstehende Mutter mit zwei Kindern voll berufstätig? Ich weiß nicht mehr, wie ich das geschafft habe. Aber nur vom Arbeitslosengeld oder von Sozialleistungen hätten wir überhaupt nicht leben können.«

1 Welche Arbeitsbedingungen wären nach Ihrer Vorstellung optimal? Beschreiben Sie Ihren „Traum"-Arbeitsplatz. Wie würde Ihr Arbeitstag dort ablaufen?

2 Glauben Sie, dass bald immer mehr Menschen 30 Stunden (und weniger) pro Woche arbeiten?

3 Vergleichen Sie die Sozial-versicherung in Deutschland mit dem Versicherungssystem in Ihrem Land.

4 Schreiben Sie ein VW-Firmen-porträt. Nutzen Sie auch die Informationen auf S. 43.

5 Welche besonderen sozialen und psychischen Probleme können Langzeit-Arbeitslose haben? Was denken Sie?

6 Haben Sie schon einmal einen Streik erlebt?

6_Gewerkschaften

Weniger als 20 % der Erwerbstätigen in Deutschland sind Mitglied einer Gewerk-schaft. Es gibt acht Einzelgewerkschaften; sie sind im Deutschen Gewerkschaftsbund (DGB) zusammengeschlossen. Im Vergleich zu anderen europäischen Ländern wird in Deutschland nicht sehr oft gestreikt. Die größte Einzelgewerkschaft im Deut-schen Gewerkschaftsbund ist die Dienst-leistungsgewerkschaft ver.di, die aus dem Zusammenschluss von fünf Gewerkschaften entstanden ist. Wenn die Mitglieder dieser Gewerkschaft streiken, wird das öffentliche Leben besonders gestört. In der Gewerkschaft Erziehung und Wissenschaft sind besonders viele Frauen organisiert, vor allem Erziehe-rinnen und Lehrerinnen.

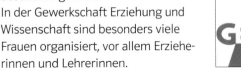

Ein Höhepunkt für den Laufsport ist jedes Jahr Ende September der „Berlin-Marathon". Start- und Zielort ist das Brandenburger Tor. Es gibt dort auch spezielle Rennen für Rollstuhlfahrer, Inlineskater oder Kinder.

Beckenbauer zeigte der Welt, dass auch ein deutscher Fußballer elegant und leichtfüßig spielen kann.

Sport

■ Kennen Sie Sportler aus Deutschland, Österreich oder der Schweiz? Welche Sportarten üben diese Sportler aus?

1_„König Fußball" ◎14

Spieler wie Franz Beckenbauer, Jürgen Klinsmann, Michael Ballack und Oliver Kahn, Vereine wie der FC Bayern München, Borussia Dortmund, Werder Bremen, der Hamburger SV: Fußballfans in aller Welt kennen diese Namen.
Fast 6,5 Millionen Mitglieder und mehr als 170 000 Mannschaften sind heute im Deutschen Fußballbund (DFB) organisiert. Auch bei Mädchen und Frauen ist Fußball der beliebteste Mannschaftssport. Fast jedes Dorf hat seinen Fußballklub. Ohne die lokalen Amateur- und Jugendvereine wäre der deutsche Fußball nicht das, was er ist: Ein Spiel um Millionen (Euro), aber auch für und von Millionen.

2_Kaiser Franz

Der Franz, der kann's: das Fußballspielen natürlich! Er begann seine Karriere als Spieler des erfolgreichen FC Bayern München und war ab 1965 in der Nationalmannschaft. Franz Beckenbauer wurde zweimal Weltmeister: einmal als Spieler 1974 in Deutschland und einmal als Teamchef 1990 in Italien. Als Ehrenpräsident des FC Bayern ist der „Kaiser" dem Fußball treu geblieben.

3_Sportlich aktiv ◎15

Immerhin jeder 3. Bundesbürger ist Mitglied in den Verbänden des Deutschen Sportbundes. Wahrscheinlich sind es auch diese Menschen, die – nach der Statistik – mindestens zweimal pro Woche Sport treiben.
Die meisten aktiven oder passiven Sportfans findet man auf dem Fußballplatz, auf Platz 2 folgen die Turner. Geht man nach der Zahl der Mitglieder, belegen die Fitness-Center in Deutschland Platz 3. Tennis ist nicht mehr ganz so populär wie zu den „Hoch"-Zeiten von Boris Becker und Steffi Graf, gehört aber weiter in die sportliche Hitparade, gefolgt vom Schießsport und den Leichtathleten auf den Rängen 5 und 6. Auch das Laufen ist in Deutschland ein Volkssport. Jedes Jahr sind überall Volks- und Marathonläufe: Tausende von Menschen aller Altersgruppen nehmen daran teil.

Ungefähr die Hälfte aller Urlauber in Österreich kommt zum Wandern. August und September sind ideale Monate dafür.

Extremkletterer lieben das Risiko. Für so eine Eiswand braucht man eine spezielle Ausrüstung.

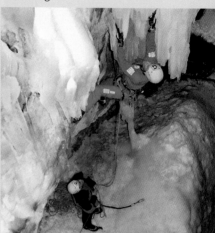

Beim „Dolomitenmann" in den Bergen bei Lienz (Osttirol) müssen die Teilnehmer alles geben. Jeweils vier Sportler messen sich als Team mit anderen Mannschaften in den Disziplinen Berglauf, Paragleiten, Mountainbike und Wildwasser-Kajak.

4_Das Wandern ist . . .

… des Müllers Lust. Wandern bedeutet für die Deutschen mehr als nur spazieren gehen oder Ausflüge machen. Um 1900 begeisterten sich junge Leute, Arbeiter und Studenten für das einfache Leben in der Natur und gründeten die „Wandervogel"-Bewegung. Heute geht es nicht mehr so romantisch zu wie damals, auch wenn man oft noch die alten Wanderlieder singt.

Die Deutschen sind auch gern mit dem Fahrrad unterwegs. Ausländer staunen oft über die vielen, gut markierten Radwege nicht nur in landschaftlich schönen Gebieten, sondern auch in der Stadt.

5_Sport alpin

Bergsteigen und Skifahren – die Alpen sind in Europa das Eldorado für Anhänger dieser Sportarten. Überall gibt es riesige Skigebiete, z. B. am Arlberg in Österreich oder in Zermatt und Davos in der Schweiz. Schon als kleines Kind lernt man dort auf den „Brettern" ins Tal zu sausen. Kein Wunder, dass die Schweiz und Österreich im Skisport ganz vorn liegen.

Nicht Österreicher oder Schweizer, sondern Engländer waren übrigens vor über 100 Jahren die sportlichen Pioniere in den Alpen. Seitdem hat sich viel verändert. Die Einsamkeit der Berge findet man heute kaum noch.

Der Massensport zeigt seine Schattenseiten: Hotels, Straßen, Skipisten und Seilbahnen zerstören an vielen Orten die natürliche Schönheit der Alpen.

1 Ist in Ihrem Land Fußball auch so populär?

2 Wann machte Franz Beckenbauer was? Finden Sie die passende Jahreszahl: 1965, 1974, 1990.
- Er trainierte die deutsche Weltmeister-Mannschaft.
- Er spielte zum ersten Mal für Deutschland.
- Er spielte für Deutschland im Endspiel der Weltmeisterschaft.

3 Schreiben Sie die „sportliche Hitliste" als Tabelle: einmal für Deutschland und einmal für Ihr Land.

4 Auch Schwimmen und Joggen gehören zu den sportlichen Aktivitäten, die man oft „privat" betreibt. Wie halten Sie sich fit und beweglich?

5 Was halten Sie von gefährlichen Extrem-Sportarten wie Heli-Skiing oder Snowkiting? Ist das für Sie noch Sport?

Freizeit und Urlaub

■ Haben Sie mehr Freizeit, als Ihre Eltern
früher hatten? Diskutieren Sie.

1_Freizeit: aktiv und passiv ⊚16

Wenn man den Statistiken glauben will, sind die
Bundesbürger „Freizeit-Weltmeister". Was machen
die Deutschen aber mit ihrer vielen freien Zeit?
Sie verbringen einen Großteil davon zu Hause:
Fernsehen, Zeitung lesen und Radio hören sind
die drei beliebtesten Beschäftigungen. Die
Bundesbürger sitzen durchschnittlich mehr als
220 Minuten pro Tag vor dem Fernsehapparat.
Trotzdem ist Lesen nicht „out" – aber die meisten
vertiefen sich lieber in eine Zeitung oder Zeit-
schrift als in ein „gutes" Buch oder sie lesen im
Internet. Auch in Österreich und in der Schweiz ist
das der Trend.
Außer Haus geht man gern essen oder nutzt seine
freie Zeit zum „Shoppen".
Auch (Weiter)Bildung ist ein wichtiges Thema in
der Freizeit, zum Beispiel für die Besucher der
Volkshochschulen. Sie lernen dort Tango, Yoga
und fremde Sprachen oder hören interessante
Vorträge. Mit einem Wort: Sie erweitern ihren
Horizont!

Zu den aktiven Freizeit-Hits gehören Radfahren,
Joggen, Wandern und Spaziergehen.

2_Das Vereinsleben

„Im Verein ist es doch am schönsten", sagt das
Individuum und tut sich mit anderen zusammen.
Seit fast zwei Jahrhunderten gründen die Deutschen
die sogenannten „Evaus" – e.V. bedeutet: „eingetra-
gener Verein" – nicht nur für Spaß und Sport, sondern
auch um anderen zu helfen oder gemeinsame
Interessen zu vertreten.
Im Chor singen, Tauben züchten, Skat spielen – für fast
alle Freizeittätigkeiten gibt es den passenden Verein.
Man findet die meisten Mitglieder in Sportvereinen,
Kegelklubs und Schützenvereinen. Auf dem Land sind
die Vereine oft sehr klein und familiär. Andere Vereine,
z. B. die erfolgreichen Fußballklubs, sind heute große
Unternehmen mit viel Geld und professionellem
Management. Viele Vereine haben ein eigenes
Klubhaus oder Vereinslokal und organisieren auch
gemeinsame Ausflüge und Feiern.

3_Klein, aber grün

Egal, ob in Wien, Berlin, Dresden oder im
Ruhrgebiet: Man findet inmitten vieler
Städte die so genannten Schrebergärten,
kleine oder größere Gartenkolonien. Der
1864 gegründete Verein der ersten Klein-
gärtner schmückte sich mit dem Namen
des Pädagogen und Orthopäden Daniel
Gottlob Schreber (1808 – 1861) aus Deutschland. Gemüse, Obst und Kartoffeln aus
dem eigenen Schrebergarten waren in
wirtschaftlich schlechten Zeiten eine große
Hilfe für ärmere Stadtbewohner.
Heute dienen diese kleinen Parzellen vor
allem der Erholung. Übrigens: Auch die
Freizeitgärtner sind im Verein organisiert
und das Bundeskleingartengesetz sorgt für
Ruhe und Ordnung im Gartenparadies.

Auf Campingplätzen trifft man immer und überall deutsche Urlauber, ob mit kleinem Zelt oder mit teurem Wohnmobil.

1 a. Sehen Sie mehr oder weniger fern als die Deutschen?
b. Verbringen Sie Ihre Freizeit lieber aktiv oder passiv?

2 Was macht man in einem Schützenverein? Und im Kegelclub?

3 Was sind die Unterschiede zwischen einem „normalen" Garten und einem Schrebergarten?

4 Was sind die beliebtesten Urlaubsziele der Deutschen, Österreicher und Schweizer?

5 Und Sie? Wohin fahren Sie gern in Urlaub?

»*Unsere Wohnung hat noch nicht mal einen Balkon. Da kann man sich vorstellen, wie wichtig der Garten hier für uns ist. Die Parzelle ist zwar klein, aber ich bin mit dem Rad in zehn Minuten hier. Jetzt im Frühling gibt's wieder viel zu tun! Im Sommer übernachten wir auch öfter in unserem Schrebergartenhaus.*«

4_Die schönsten Tage ⊚ 17
Holidays

Die Deutschen haben viel Urlaub, und sie reisen gern und fast überallhin.
Eine Kreuzfahrt auf dem Traumschiff bleibt für die meisten ein Traum. Aber ein Urlaub auf Mallorca, der erklärten Lieblingsinsel der Deutschen, ist schon für viele Realität geworden. Die beliebtesten Reiseländer sind Spanien, Italien und Österreich. Ungefähr ein Drittel der Bundesbürger findet es in der Heimat am schönsten, vor allem in Bayern und an der Nord- und Ostsee.
Groß „in Mode" sind auch die so genannten Wellness-Angebote, denn im Urlaub wollen sich die Deutschen erholen und „abschalten". Sie machen eine Kur mit therapeutischen Programmen oder verbringen ein Wochenende in einem Wellness-Hotel mit Sauna, Massage, Schönheitspflege und fernöstlichen Entspannungstechniken.

5_Warm und sonnig

Wenn die Schweizer Urlaub machen, fahren sie am liebsten nach Italien, Frankreich und Spanien. Bei privaten Kurzreisen ist Deutschland das beliebteste Reiseziel.
Wenn die Österreicher nicht im eigenen Land bleiben, bevorzugen sie ebenfalls die warmen Länder im Süden Europas: Italien, Kroatien, Griechenland, Spanien. Das Nachbarland Deutschland steht erst an 5. Stelle.

Wir gehen aus!

- Haben Sie in letzter Zeit eine deutsche Filmproduktion gesehen?
- Kennen Sie Schauspieler oder Musiker aus deutschsprachigen Ländern?

1_Ins Kino gehen

Heute ist Deutschland mehr Fernseh- als Kino-Nation. Aber in den letzten Jahren registriert man wieder steigende Besucherzahlen. Vor allem junge Leute zwischen 15 und 30 Jahren gehen häufiger ins Kino. Die Kinogänger sehen am liebsten die großen Hollywood-Filme. Fremdsprachige Filme werden für die deutschen Kinos und auch für das Fernsehen synchronisiert. Deutsche Produktionen haben da einen schweren Stand. Nur einige Filme von jungen deutschen Regisseuren, oft Komödien oder Filmparodien, waren in letzter Zeit auch kommerziell erfolgreich. Im Ausland finden vor allem Filme zur deutschen Geschichte und Literaturverfilmungen Beachtung.

lots of previews @ movie

Seit 1912 werden in Babelsberg bei Potsdam Filme produziert. Viele berühmte Regisseure und Schauspieler, z. B. Fritz Lang und Marlene Dietrich, begannen hier ihre Karriere.

Das Burgtheater in Wien ist eines der ältesten im deutschen Sprachraum und hat bis heute einen besonders guten Ruf.

Musicals (hier: „König der Löwen") haben Konjunktur. Einige Theaterhäuser wurden von den Veranstaltern speziell für diese Shows gebaut.

2_Im Rampenlicht ⑱18

Das Theater hat in Deutschland eine lange Tradition. Schon im 18. Jahrhundert hatten viele Landesherren in den Residenzstädten ihr eigenes Hoftheater. Deshalb gibt es noch heute nicht nur in den großen Städten, sondern auch in der Provinz bekannte Theaterhäuser.
Im Programm findet man bis heute sehr oft die Namen der „Klassiker": Goethe, Schiller, Brecht, Shakespeare und andere. Die vielen freien Gruppen der „Off"-Szene dagegen machen meist experimentelles Theater.
Fast alle deutschen Theater- und Opernhäuser können nur mit Unterstützung aus öffentlichen Kassen überleben. Jede Eintrittskarte ist mit rund 100 Euro subventioniert.

3_Das Fifty-fifty-Ticket

Die meisten finden die Idee super: Jugendliche zwischen 16 und 25 Jahren können nach dem Diskobesuch zum halben Preis mit dem Taxi nach Hause fahren. Eine große Krankenkasse, Banken und lokale Radiosender gehören zu den Sponsoren der Aktion. Auch Eltern und Großeltern kaufen die Rabatt-Tickets und lassen ihre Kinder und Enkel dann beruhigter in die Disko gehen. Leider gibt es diese gute Idee noch nicht in allen Bundesländern.

[handwritten notes: "DUIs are very severe in Germany", "• car ownership is a big deal"]

1. Warum sind die deutschen Komödien wohl nur im Inland so erfolgreich?

2. a. Ist das Theater noch „in" bei jungen Leuten? Berichten Sie von Ihren Erfahrungen.
   b. Befragen Sie Ihren Nachbarn im Kurs nach seinen „Ins" und „Outs". Präsentieren Sie das Ergebnis (mündlich oder schriftlich).

3. Vor allem Mädchen nutzen den günstigen Taxiservice. Warum? Was meinen Sie?

»Seit einem halben Jahr steht meine Ausbildung an erster Stelle. An den Wochenenden treffe ich mich mit Freunden in Diskos oder Kneipen. Am liebsten bin ich aber mit der Clique an der frischen Luft am See oder im Kulturpark. Wir hören Musik – Hip-Hop und Rockmusik – oder wir unterhalten uns einfach. Lesen ist bei mir auch ›in‹ und ins Kino gehen, wenn gute Filme kommen.«

»Zu Hause vor der Glotze rumhängen ist absolut ›out‹. Rauchen ist auch nicht unbedingt ›cool‹. Außerdem sind Leute ›out‹, die sich immer nach dem neuesten Mode-Trend richten. Ich ziehe Klamotten an, in denen ich mich wohl fühle: am liebsten weite, bequeme Sachen!«

Auf dem Wuppertaler „Schüler-Rockfestival" spielen junge Nachwuchsbands – oft zum ersten Mal – vor großem Publikum. Die besten Teilnehmer haben gute Chancen auf professionelle Aufnahmen in einem Studio.

Sie wünschen?

■ Wo kaufen Sie die Dinge des täglichen Bedarfs?

1_Wer ist Tante Emma? ◉ 19

Der „Tante-Emma-Laden" öffnet oft schon um sechs
Uhr morgens, lange vor den Supermärkten. Die
Kunden kommen meistens aus der Nachbarschaft.
„Tante Emma" heißt in der Regel nicht Emma und
ist auch nicht immer eine Frau. „Tante-Emma-Laden"
ist ein scherzhafter Name für die kleinen Gemischt-
warenläden, wie es sie früher überall gab. Heute
kämpfen diese Geschäfte ums Überleben. Die Laden-
mieten steigen von Jahr zu Jahr und die Konkurrenz
der Super- und Billigmärkte ist zu groß. Man findet
die kleinen Gemüse- und Lebensmittelgeschäfte
noch auf dem Dorf. In den Städten werden sie oft von
Bürgern ausländischer Herkunft geführt.

Auf dem Hamburger Fischmarkt findet jeden Sonntag-
morgen – ab 5 Uhr früh – ein großer Markt statt. Dort
gibt es fast alles, nur Fische sind heute Nebensache!

*»Früher gab es bei uns im Dorf
noch den Konsum, aber jetzt
muss ich zum Einkaufen mit
dem Bus in die Stadt fahren. Das
ist für alte Leute wie mich ganz
schön unbequem. Zum Glück
kommt zweimal die Woche der
Bäckerwagen. Da hol ich mir Brot
und frische Brötchen, manchmal
auch ein Stück Kuchen zum
Kaffee!«*

2_Wochenmarkt, Flohmarkt ◉ 20

Wer beim Einkaufen etwas erleben will und seine Sprachkenntnisse
„testen" möchte, der geht am besten auf den Markt. In Berlin z. B.
gibt es in jedem Bezirk mehrere Wochenmärkte. Zweimal pro Woche
kann man dort internationale Spezialitäten und frische Lebensmittel,
aber auch Haushaltsartikel und Textilien einkaufen.
Die Atmosphäre ist sehr lebhaft und das Publikum gemischt.
Sehr beliebt sind auch die Flohmärkte oder Trödelmärkte. Trödel
bedeutet: billiger Kram, Altwaren, besonders Kleider, Möbel,
Hausgeräte. Auf den „schickeren", teureren Märkten gibt es auch
echte Antiquitäten, Schmuck und Kunsthandwerk.

Das Angebot und die Menschen auf dem Wiener Naschmarkt sind international und trotzdem ist die Atmosphäre typisch wienerisch.

Massive Farmers Markets

1 Was ist typisch für den „Tante-Emma-Laden"?

2 **a.** Welche Vorteile bietet das Einkaufen auf dem Markt?
b. Kaufen Sie auch manchmal gebrauchte Dinge? Was? Und wo?

3 **a.** Was spricht für und was spricht gegen Einkaufszentren? Schreiben Sie eine Pro-Kontra-Liste in Stichwörtern.
b. Kaufen Sie „grün" ein? Was tun Sie für die Umwelt beim Einkaufen?

4 Was sind für Sie „Delikatessen"?

Wer auf gesunde Ernährung achtet, hält nach einem Bio-Siegel Ausschau.

3_Grün einkaufen? ◎ 21

Einkaufszentren „auf der grünen Wiese" sind nicht grün, sondern meistens hässliche, zubetonierte Areale am Stadtrand. Auch in den neuen Bundesländern schossen sie nach der Wende wie Pilze aus dem Boden.
In den Innenstädten werden immer mehr so genannte City-Center eröffnet. Viele kleinere Ladenräume stehen dann leer, weil die Mieten zu hoch sind und die Bewohner lieber in die Einkaufszentren fahren – mit dem Auto natürlich!
Trotzdem denken viele Bundesbürger beim Einkaufen auch an den Umweltschutz. Sie achten auf sparsame Verpackungen und kaufen Produkte mit dem Umweltzeichen Blauer Engel oder Lebensmittel mit einem Bio-Kennzeichen.

4_Das KaDeWe

Largest department store in Europe in Western Berlin

Das 1907 gegründete „Kaufhaus des Westens" (kurz KaDeWe) in Berlin ist ein Kaufhaus der Superlative. Es ist das größte auf dem Kontinent. Man kann dort einen ganzen Tag verbringen und hat bestimmt noch nicht alles gesehen. Der Besucher findet im KaDeWe ein exklusives Angebot, aber auch das normale Kaufhaussortiment.

super expensive!

In der sechsten Etage in Europas größter Delikatessen-Abteilung gibt es fangfrische Fische und Meeresfrüchte, Obst und Gemüse aus den fernsten Ländern, seltene Weine, Champagner und 1300 Sorten Käse. Viele Delikatessen kann man an kleinen Bars probieren. Allerdings muss man dafür mehr als nur Kleingeld in der Tasche haben.

Es gibt Essen!

- ■ Haben Sie schon mal typisch deutsches Essen probiert?

- ■ Kennen Sie auch Spezialitäten aus Österreich und der Schweiz?

1_Kandis und Klopse ⊚ 22

Wer den Norden Deutschlands und die Küstenregionen besucht, macht wohl zuerst Bekanntschaft mit den Trinkgewohnheiten. Dort trinkt man viel schwarzen Tee, mit süßer Sahne und Kandiszucker, und im Winter gegen die Kälte Grog, ein Getränk aus Rum, heißem Wasser und Zucker. Typisch für den Norden sind auch die vielen Fisch- und Kartoffelgerichte.
Die Berliner haben eine Vorliebe für Saures – saure Gurken und Sauerkraut – und Buletten (gebratene Klopse aus Hackfleisch, Brötchen, Eiern und Zwiebeln), die warm und kalt gegessen werden.

2_Knödel, Kuchen und mehr ⊚ 23

Der Süden ist traditionell das Land der Mehlspeisen: Spätzle (kleine Nudeln aus Mehl, Eiern, Wasser und Salz) oder Maultaschen (eine Art Ravioli) isst man in Schwaben. Palatschinken (dünne Pfannkuchen mit süßer Füllung) sind eine Spezialität in Österreich. Die Österreicher haben auch eine besondere Vorliebe für Knödel – Semmelknödel oder Obstknödel – und Torten mit berühmten Namen wie Esterhazy und Sacher.
Wer nach München kommt, muss Weißwurst mit süßem Senf probieren und natürlich das bayerische Bier.
Im Südwesten Deutschlands ist die Küche etwas feiner. Besonders in Baden und im Saarland kann man den französischen Einfluss schmecken. Das gilt auch für die Schweiz, vor allem für den Westteil.
Das Zürcher Geschnetzelte mit Rösti (in Streifen geschnittenes Kalbfleisch mit gebratenem Kartoffelkuchen) ist ein internationales Gericht geworden.

Für ein Fondue nimmt man den Lieblingskäse der Schweizer, den Greyerzer. Auch andere Käsesorten aus der Schweiz (mit Löchern oder ohne) sind für ihre Qualität bekannt.

Es stimmt nicht mehr, dass die Deutschen vor allem viel Fleisch und Kartoffeln essen, aber sie essen viel Brot. Ausländer staunen über das riesige Angebot an Brotsorten und Brötchen.

3_Bier ... und Wein

Jeder Deutsche konsumiert statistisch gesehen pro Jahr 115 Liter Bier. „Bier-Weltmeister" sind aber die Tschechen. Im Rheinland trinkt man gerne das leichte, helle Kölsch aus schmalen Gläsern. Die dunklen Biersorten des Münchner Typs sind stärker und schmecken süßlich. Aus Bayern kommt auch das „Reinheitsgebot". Nach diesem Gesetz darf Bier nur aus Hopfen, Malz und Wasser bestehen. Der deutsche Wein kommt hauptsächlich aus dem Südwesten; am Rhein und seinen Nebenflüssen wächst er am besten. Wer in Österreich eine „Weinreise" machen will, fährt nach Wien und in den Osten des Landes. Dass man auch in der Schweiz Wein produziert, ist im Ausland wenig bekannt. Vielleicht, weil die Schweizer ihre Weine am liebsten selbst trinken?!

1 Gibt es in Ihrem Land auch kulinarische Unterschiede zwischen Norden und Süden?

2 Beschreiben Sie ein landestypisches Gericht aus Ihrer Heimat.

3 Was ist in Ihrem Land das Nationalgetränk?

4 Was essen und trinken Sie gern? Und wann?

5 Gibt es in Ihrem Land auch eine Imbiss-Kultur?

Das Wiener Schnitzel aus Österreich findet man auf Speisekarten in aller Welt. Die Küche in dem früheren Vielvölker-Staat ist eine multikulturelle Mischung.

4_Ein Essens-Fahrplan

Frühstück: Für ihr Frühstück nehmen sich die Deutschen Zeit, 15 bis 30 Minuten täglich verbringen sie am Frühstückstisch. Das Standard-Frühstück besteht aus Kaffee (seltener Tee), frischen Brötchen mit Wurst, Käse und Marmelade und einem weich gekochten Ei.

Mittagessen: Wenn die Eltern berufstätig sind, gibt es das Mittagessen mit der ganzen Familie meist nur am Wochenende. Am Sonntag wird gern „gutbürgerlich" gegessen mit viel Fleisch und Soße, dazu Kartoffeln, Gemüse oder gemischter Salat. Zum Nachtisch isst man Pudding oder Eis.

Abendessen: Früher blieb am Abend die Küche kalt, d.h. es gab belegte Brote, Bratenreste und vielleicht einen Salat, das sogenannte Abendbrot. Heute versammelt sich die Familie zum Teil erst am Abend bei Tisch und es wird warm gegessen.

Am Sonntag, an Festtagen und wenn Besuch kommt gibt es in vielen Familien nachmittags Kaffee und Kuchen.

5_Wurst ohne Ende

Wenn Deutsche und Österreicher schnell zwischendurch etwas essen wollen, beißen sie am liebsten in die Wurst. Auch die Invasion der amerikanischen Hamburger hat daran nichts geändert. Curry-Wurst z. B. ist eine gebratene Wurst mit einer Spezialsoße (scharf? extra-scharf?). Dazu gibt es Pommes rot (mit Ketchup) oder weiß (mit Mayonnaise). Hauptsache man kann aus der Hand und im Stehen essen.

35

Moderne Geschichte

Vom Reich zur Republik

■ Gab es in Ihrem Land im 19. Jahrhundert (oder schon früher) Bürgerkriege und Revolutionen?

1_Ruf nach Freiheit und Einheit ◎24

Bis ins 19. Jahrhundert war Deutschland ein buntes Mosaik aus größeren und kleinen Territorialstaaten. 1815 wurde der Deutsche Bund gegründet. In der Zeit danach bis zur Revolution 1848 wurde die Opposition gegen die alte, autoritäre Ordnung immer stärker. Demokraten und Liberale forderten eine nationale Verfassung und politische und persönliche Grundrechte für das Volk.

Die Bürgerkriege in Deutschland und Österreich im März 1848 waren kurz, aber sehr blutig. Im Mai kam die neu gewählte deutsche Nationalversammlung in Frankfurt zusammen. Sie sollte eine Verfassung für ganz Deutschland ausarbeiten und eine zentrale Regierung bilden. Aber die Monarchien von Preußen und Österreich nutzten ihre militärische Macht. Bis zum Sommer 1849 hatten sie die revolutionären Bewegungen wieder zerschlagen. Die Rebellen wurden gnadenlos verfolgt und bestraft. Die Folge waren Massenauswanderungen, auch wegen Hungersnot und Arbeitslosigkeit – vor allem in die USA.

In der Schweiz verlief die Rebellion von 1848 eher geordnet und ruhig. Aber sie war erfolgreich. Der moderne Schweizer Bundesstaat ist ein Ergebnis dieser „moderaten" Revolution!

2_Die industrielle Revolution

In den Jahren zwischen der Märzrevolution (1848) und der nationalen Einigung (1871) begann das moderne Industriezeitalter. Im Kernland Preußen entstanden industrielle Zentren wie das Ruhrgebiet und Berlin und neue Industriezweige wie die Chemo- und Elektroindustrie (BASF, Siemens). Die Fabrikarbeiter in den Städten lebten in Armut und Elend. Aber große Teile des Bürgertums profitierten von der Entwicklung.

Der Deutsche Bund war ein loser Zusammenschluss aus 35 großen und kleinen Staaten und Städten. Die einzelnen, zum größten Teil deutschsprachigen Länder blieben autonom.

3_Ein Mann der Macht ⊙ 25

1862 wurde Fürst Otto von Bismarck preußischer Ministerpräsident.
Er führte ein autoritäres, antiparlamentarisches Regiment und sicherte
Preußens Vormacht. Nach militärischen Siegen über Frankreich und
Österreich war der Weg für die nationale Einigung Deutschlands frei.
1871 wurde in Versailles das Deutsche Reich gegründet. Wilhelm I.
wurde Kaiser und Bismarck Reichskanzler.
Die Entlassung durch den jungen Kaiser Wilhelm II. beendete
Bismarcks politische Karriere.

4_Der Erste Weltkrieg

Kaiser Wilhelm II. mischte sich in die
Kolonialpolitik ein und baute seine Flotte
aus. Die weltpolitischen Konkurrenten
England, Frankreich und Russland
reagierten mit einer Koalition gegen
diese imperialistische Bedrohung.
Die Ermordung des österreichischen
Thronfolgers Franz Ferdinand im Juni
1914 war das „Startsignal" für den Ersten
Weltkrieg. 1917 traten die USA in den
Krieg ein. Aber erst im Herbst 1918
erklärten die deutschen Militärs den
Krieg für verloren. In vielen Städten
übernahmen revolutionäre Soldaten- und
Arbeiterräte vorübergehend die Macht.
Der Kaiser flüchtete ins Exil nach Holland.

1 **a.** Wie hießen die größten Einzelstaaten im Deutschen Bund?
Sehen Sie sich die Karte auf
S. 36 an.
b. Warum sind nach 1848 so
viele Menschen emigriert?

2 Was wissen Sie über die
Lebens- und Arbeitssituation
der Fabrikarbeiter zu Beginn der
Industrialisierung?

3 Welches große politische Ziel
hat Bismarck erreicht?

4 Welche Gedanken und Gefühle
haben Sie, wenn Sie das Foto
rechts unten betrachten?

5 Kennen Sie politisch aktive
Frauen, die in der Geschichte
Ihres Landes eine Rolle spielten
oder spielen?

5_Rosa Luxemburg

Rosa Luxemburg war Theoretikerin und Kämpferin,
zuerst Sozialdemokratin, dann Kommunistin.
Zusammen mit Karl Liebknecht gründete sie den
Spartakusbund und beteiligte sich an der Revolution
nach Kriegsende. 1919 wurden Luxemburg und
Liebknecht von Freikorps-Soldaten umgebracht.

...mer mehr Menschen kamen vom Land in
e Städte. 18-Stunden-Tag, Hungerlöhne und
...nderarbeit waren normale Realität für sie.

Rosa Luxemburg

Eine junge Frau marschiert voller Begeisterung
mit deutschen Soldaten.

37

Die Weimarer Republik

■ Die Weimarer Republik hat ihren Namen von der Stadt, in der ihre Verfassung beschlossen wurde. Wo liegt Weimar? Was wissen Sie über diese noch heute viel besuchte deutsche Stadt? (Schauen Sie auf Seite 49 nach.)

1_Inflation und Krise

„Alle Macht geht vom Volke aus." Das war ein Grundprinzip der demokratischen Verfassung, welche die Nationalversammlung 1919 in Weimar ausarbeitete. Aber die junge Republik hatte es schwer. Politische Morde und Putschversuche rechtsextremer Gruppen bestimmten das Tagesgeschehen. Auch der Frieden hatte einen hohen Preis. Nach dem Vertrag von Versailles musste Deutschland enorme Geldsummen als Wiedergutmachung an die Siegermächte zahlen. Inflation war die Folge: Sie erreichte 1923 ihren Höhepunkt.
Ein Kinder-Abzählreim aus dieser Zeit:
„Eins, zwei, drei, vier, fünf Millionen,
Meine Mutter, die kauft Bohnen.
Zehn Milliarden kost' das Pfund,
Und ohne Speck
Du bist weg!"

Am 9. November 1918, noch während der Novemberrevolution, rief der Sozialdemokrat Philipp Scheidemann vom Reichstag die Deutsche Republik aus.

Schon 1919 sah der Schriftsteller Kurt Tucholsky das Ende der Republik voraus. Er schrieb:
„Dieses deutsche Bürgertum ist ganz und gar antidemokratisch, dergleichen gibt es wohl kaum in einem andern Lande, und das ist der Kernpunkt allen Elends."

2_Der Kaiser geht

Auch in Österreich ging im November 1919 der Kaiser und die Erste Republik kam. Die Zeit zwischen den Kriegen war genauso wie in Deutschland eine Krisenzeit. Im Friedensvertrag von Saint-Germain wurde der Anschluss Österreichs an Deutschland verboten. Trotzdem wünschten sich viele Politiker und Bürger insgeheim weiter einen deutsch-österreichischen Staat.

3_Der Anfang vom Ende

Nur für wenige Jahre war die politische und wirtschaftliche Situation in der Weimarer Republik relativ stabil. Die Menschen hofften auf einen Neuanfang und eine bessere Zukunft. Aber die innen- und außenpolitischen Probleme waren nicht wirklich gelöst. Mit der Weltwirtschaftskrise 1929 wurde ein Drittel der arbeitenden Bevölkerung arbeitslos. Viele Menschen gerieten in Armut und Elend. Die Regierungen wechselten immer schneller, das Parlament wurde immer schwächer. Der Zusammenbruch der Weimarer Republik war nur noch eine Frage der Zeit.

1. Erinnern Sie sich an einen Kinderreim in Ihrer Sprache? Übersetzen Sie ihn ins Deutsche.

2. Was passierte in Ihrem Land zu dieser Zeit?

3. **a.** Beschreiben Sie das Gemälde von Otto Dix. Was können Sie erkennen?
   b. Was waren die Attribute der „neuen" Frau in den 20er-Jahren?

4. Warum gaben so viele Deutsche den Nationalsozialisten ihre Stimme?

Berlin wurde die Metropole der 20er-Jahre, Magnet für Künstler und Intellektuelle. Aber in den Hinterhöfen der Mietskasernen, hinter den glanzvollen Kulissen, herrschten Hunger und Kälte.

Die „neue" Frau trug kurze Haare, rauchte in der Öffentlichkeit und war leger gekleidet.

4_Die 20er-Jahre ◉ 26

Die Jahre der Weimarer Republik brachten eine bisher unbekannte Freiheit für Kunst und Wissenschaft. Autoren, Maler und Architekten experimentierten mit neuen Formen. Das Theater und die neuen Medien Kino und Rundfunk begeisterten ein Massenpublikum. Leichte Unterhaltung, wie Operetten, Schlagermusik und Tanzrevuen, waren „in". Überhaupt war das Lebensgefühl in den 20er-Jahren freier. Man war ungezwungener und selbstbewusster. Das zeigte sich im Alltag, in der Mode und in der Sexualität.
Auch die Rolle der Frauen veränderte sich. 11 Millionen Frauen waren in Deutschland zu dieser Zeit berufstätig, viele arbeiteten im Büro. Auch wenn sie weniger verdienten als die Männer, brachte ihnen der Beruf mehr Unabhängigkeit und Selbstbewusstsein.

5_Der Weg in die Diktatur ◉ 27

Die Folgen der Weltwirtschaftskrise führten dazu, dass die rechtsextreme Nationalsozialistische Deutsche Arbeiterpartei (NSDAP) immer mehr Anhänger fand. Ihr erklärtes Ziel war es, die Weimarer Republik zu beseitigen. Adolf Hitler, der Führer der Nationalsozialisten, versprach den Menschen Arbeit und viele Deutsche sympathisierten mit seinen rassistischen und nationalistischen Ideen.
Ab 1930 hatte das Parlament praktisch keine Funktion mehr: die Republik wurde zunehmend von Präsident Hindenburg regiert. Mit den Wahlen im September 1930 wurde die NSDAP die zweitstärkste Partei im Reichstag. Nur eine gemeinsame Opposition der Arbeiterparteien mit der demokratischen Mitte konnte Hitler noch stoppen. Diese Parteien fanden jedoch keine gemeinsame Basis und die Konservativen hielten still. Gut zwei Jahre später herrschte in Deutschland eine faschistische Diktatur.

Hohe Militärs – unter ihnen z. B. Graf Stauffenberg – versuchten am 20. Juli 1944 ein Attentat auf Hitler. Sie wollten den praktisch schon verlorenen Krieg beenden und der Weltöffentlichkeit ein Signal geben.

Massenveranstaltungen wie der Reichsparteitag 1936 in Nürnberg „blendeten" die Menschen. Nur wenige sahen, dass hier der nächste Krieg vorbereitet wurde.

Das Dritte Reich

■ Wenn Ausländer nach berühmten Deutschen gefragt werden, fällt ihnen oft zuerst Adolf Hitler ein. Ihnen auch? Warum?

1_Der NS-Staat

1933 hatte Adolf Hitler sein Ziel erreicht: Er war der neue Reichskanzler. Seit Anfang 1933 gab es schon die ersten Konzentrationslager für politische Gefangene. Nach dem Tod Hindenburgs wurde Hitler auch Reichspräsident. Er nannte sich nun „Führer des Deutschen Reiches und Volkes". Zu diesem Zeitpunkt waren alle politischen, wirtschaftlichen und kulturellen Institutionen im Reich „gleichgeschaltet".
Terror-Organisationen wie die SA (Sturmabteilung), die SS (Schutz-staffel, ursprünglich Hitlers Leib-wache) und die Gestapo (Geheime Staatspolizei) kontrollierten sogar die private Sphäre der Menschen. Alle Staatsbürger im Dritten Reich sollten „deutsch denken, deutsch fühlen und deutsch handeln".

2_Terror und Vernichtung

Das zentrale Element im ideologischen Programm der Nationalsozialisten war der Antisemitismus. Schon 1933 wurden jüdische Geschäfte boykottiert und jüdische Beamte entlassen. Ehen zwischen Juden und „Ariern" waren ab 1935 verboten. Mit der „Pogromnacht" im November 1938 begann die gewaltsame Verfolgung und Vernichtung. Ab 1941 mussten Juden den sogenannten „Davidsstern" an der Brust tragen und 1942 beschloss die Wannsee-Konferenz in Berlin die „Endlösung" der Judenfrage.
Bis Kriegsende wurden fünf bis sechs Millionen Juden in Kon-zentrationslagern oder bei Massenerschießungen getötet. Auch Sinti und Roma („Zigeuner"), Homosexuelle, Behinderte, Kriminelle und natürlich politische Gegner zählten zu den Opfern des NS-Regimes.

3_Anne Frank

Viele Menschen auf der Welt kennen dieses Mädchengesicht. Anne Frank war Jüdin. Sie und ihre Familie versteckten sich über zwei Jahre in einem kleinen Raum in Amsterdam. Ihr berühmtes Tagebuch wurde ein wichtiges Dokument der Nazizeit und ein Symbol für den Wunsch nach Freiheit und Gerechtigkeit.

Die Weiße Rose 1942:
Hans und Sophie Scholl
mit Christoph Probst.

Hitler spricht in Wien zu den
Massen. Viele Österreicher
sympathisierten mit den
Nationalsozialisten.

4_Der Zweite Weltkrieg ◎ 28

Die Vorbereitungen für einen Expansionskrieg begannen schon 1933.
1938 marschierten deutsche Soldaten in Österreich ein. Aber erst der
Überfall auf Polen im September 1939 führte zum Ausbruch des Zweiten
Weltkriegs. Zunächst war Hitler mit seiner Blitzkrieg-Taktik erfolgreich.
Deutsche Truppen besetzten in schneller Folge Belgien, Holland, Frank-
reich, Dänemark, Norwegen und Jugoslawien.
Nach der Niederlage der deutschen Armee bei Stalingrad dauerte es
noch über zwei Jahre bis zur Kapitulation.
Mit der Invasion der Alliierten in Frankreich im Juni 1944 begann die
letzte Phase des Kriegs. Im Mai 1945 wurde Berlin von der sowjetischen
Armee erobert. Kurz zuvor hatte Hitler dort in seinem Bunker Selbstmord begangen.
Der Zweite Weltkrieg war zu Ende und die Bilanz erschreckend: fast
60 Millionen Tote, ganze Länder und Städte zerstört und verwüstet.

5_Die Weiße Rose

Die Mitglieder der Weißen Rose
riefen in ihren Flugblättern zum
passiven Widerstand auf. Sie wollten
den blutigen Krieg beenden.
Initiator der Gruppe war der
Medizinstudent Hans Scholl. Auch
seine Schwester Sophie gehörte
dazu. Die Weiße Rose war seit 1942
vor allem in Universitätskreisen
aktiv. Fast alle Mitglieder wurden
gefasst und 1943 ermordet.

6_Die neutrale Schweiz

Die Schweiz war – wie schon im Ersten Weltkrieg – seit
1938 ein neutrales Land. Viele Flüchtlinge aus Deutschland fanden hier Schutz vor der Verfolgung. Aber die
Schweiz hat auch am Unglück der anderen verdient.
Schweizer Banken haben mit jüdischem Geld und Gold
lukrative Geschäfte gemacht.

1 Was bedeutet der Begriff
„gleichgeschaltet"?

2 **a.** Welche Menschen gehörten
zu den Opfern des NS-Regimes?
b. Welche Konzentrationslager
kennen Sie mit Namen?

3 Was wissen Sie über das weitere
Schicksal von Anne Frank und
ihrer Familie? Recherchieren Sie.

4 **a.** Wann und wie ist Hitler ums
Leben gekommen?
b. War Ihr Land in den Zweiten
Weltkrieg verwickelt?

5 Finden Sie es mutig, was die
Mitglieder der Weißen Rose
getan haben?

6 Ist die Schweiz auch heute noch
neutral? Informieren Sie sich auf
S. 91.

Eine junge Republik

■ Wo lagen die Zonen der vier Besatzungs-
mächte in Deutschland und Österreich? Welche
Bundesländer sind heute dort? Vergleichen Sie
die Karte hier mit der Karte auf Seite 61.

1_Besatzung und Neubeginn ◉ 29

Nach der Kapitulation des Dritten
Reichs übernahmen die vier Sieger-
mächte die Regierung. Große Teile
der Ostgebiete gingen an Polen
und die Sowjetunion. Das restliche
Land wurde in vier Besatzungszonen und die Stadt Berlin in vier
Sektoren aufgeteilt.
Im Mai 1949 wurde aus den drei
Westzonen die Bundesrepublik
Deutschland gegründet und kurze
Zeit später auf dem Gebiet der
sowjetischen Zone die Deutsche
Demokratische Republik.
Auch Österreich war nach Kriegsende ein besetztes Land. Der Osten
wurde von der sowjetischen Armee,
der Westen von den Alliierten kon-
trolliert. Die Hauptstadt Wien war
wie Berlin eine Vier-Sektoren-Stadt.
1955 wurde Österreich wieder ein
unabhängiger Staat.

Drei Tage nach der Währungsreform begannen die Sowjets mit der Berlin-Blockade. Die
Westsektoren Berlins waren abgeschnitten und mussten auf dem Luftweg („Luftbrücke")
mit Lebensmitteln, Heizmaterial und allem Notwendigen versorgt werden.

2_DM für Westdeutsche

In den ersten Jahren nach dem Krieg schienen die Menschen in Deutschland gleichgestellt.
Alle hungerten, alle froren. Erst durch die Währungsreform verbesserte sich die wirtschaftliche
Situation allmählich. Am 20. Juni 1948 war es so weit: Alle Bewohner der Westzonen konnten
sich 40 Deutsche Mark (die neue Währung) abholen. Das war ihr Startkapital, das sogenannte
Kopfgeld.
Der Schriftsteller Max von der Grün erinnert sich:
„Am Tage der Währungsreform hielt mir der Bauunternehmer, bei dem ich zum Maurer
umgeschult wurde, zwei Zwanzig-Mark-Scheine vor die Nase und sagte: ,Siehst du, jetzt habe ich
genau so viel Geld wie du, jetzt kommt es nur darauf an, was man aus seinem Geld macht.' (…)
Der Bauunternehmer hatte ein Jahr später 2 Lastwagen und 3 neue Betonmischer und ein neues
Auto und einen Polier und 128 Arbeiter. Ich konnte mir damals endlich ein neues Fahrrad kaufen,
ich war anscheinend nicht tüchtig, ich habe nur 10 Stunden am Tag gearbeitet. "

3_Das „Wirtschaftswunder" ⊚ 30

Das „Wirtschaftswunder" war kein Wunder, sondern Ergebnis harter Arbeit. Die Menschen wollten wieder in geordneten, bequemen Verhältnissen leben und lieber an ihre private Zukunft als an den Krieg und die Verbrechen Deutschlands denken.

In den ersten Jahren nach dem Krieg gab es nicht genug zu essen, viele Familien überlebten nur mit Hilfe der Care-Pakete aus den USA. Es gab kaum Wohnungen. Ein Großteil der Menschen, besonders die vielen Flüchtlinge aus dem Osten, musste in Baracken und Ruinen leben. Aber es ging aufwärts. Ein wichtiger Motor für die wirtschaftliche Entwicklung waren die Bau- und die Automobilindustrie.

4_Ein Käfer für jedermann

Der Volkswagen-Käfer ist mehr als ein Auto. Er ist auch ein Symbol und ein Stück Zeitgeschichte. Ferdinand Porsche erfand den preiswerten Kleinwagen 1934. Adolf Hitler ließ für ihn eine ganze Stadt bauen: die „KdF (Kraft durch Freude)-Stadt", heute Wolfsburg. Nach dem Krieg wurde der Käfer Symbol für das „Wirtschaftswunder".

Die Mitglieder der linksradikalen RAF (Rote Armee Fraktion) wollten ihre politischen Ziele mit Mord und Bomben erreichen. Der Terrorismus war besonders während der 70er-Jahre ein ernstes Problem für die Bundesrepublik.

1 Was bedeutet „Vier-Sektoren-Stadt"?

2 Warum hatte der Bauunternehmer nach dem zweiten Weltkrieg wohl bessere Startchancen als seine Arbeiter?

3 „Wohlstand für alle" war das Motto der Zeit. Was bedeutet für Sie Wohlstand?

4 Wie viele Millionen „Käfer" hat VW bis 1972 produziert? a. 10 b. 12 c. 15

5 Gab oder gibt es in Ihrem Land Probleme mit terroristischen Gruppen? Welche politischen Ziele hatten / haben diese Vereinigungen?

5_Die Jugend protestiert

Zwei Jahrzehnte nach dem Zweiten Weltkrieg war aus der BRD eine „satte" Wohlstandsgesellschaft geworden. Aber immer mehr junge Leute distanzierten sich von dem Konsumdenken und den traditionellen Lebensformen.

Von 1967 bis 1969 protestierten überall in Deutschland die Studenten: gegen die autoritären Strukturen an den Universitäten, gegen die amerikanische Vietnampolitik, gegen die „Monopolkapitalisten".

Die Revolte der „68er" veränderte die bundesdeutsche Gesellschaft. Nach 20 Jahren CDU / CSU-Regierung wurde 1969 der SPD-Vorsitzende Willy Brandt Bundeskanzler. Bildungsreform, Ostpolitik, Mitbestimmung: in allen Bereichen wurden neue Akzente gesetzt.

Auch die Bürgerinitiativen, die in den Jahren darauf gegen Atomkraftwerke und Großflughäfen aktiv wurden, orientierten sich an den Aktionsformen der 68er.

Das war die DDR

■ Was wissen Sie über die Deutsche Demokratische Republik (DDR),
das politische System und das Leben der Menschen dort?

1_Arbeiter- und Bauernstaat

Schon bald nach dem Ende des Zweiten
Weltkrieges war klar, dass die Sowjetunion
eigene wirtschaftliche und politische Vor-
stellungen für ihre Zone hatte. Die Alliierten
konnten keine gemeinsame Lösung für das
Deutschland-Problem finden.
Daher wurden 1949 zwei deutsche Staaten
gegründet. Die Deutsche Demokratische
Republik (DDR) war ein sozialistischer
Staat nach sowjetischem Vorbild. Die
Landwirtschaft wurde kollektiv organisiert,
die Industriebetriebe waren verstaatlicht,
und die gesamte Wirtschaft wurde zentral
geplant. Der Lebensstandard der DDR-
Bürger war der höchste in den sogenannten
„Ostblock-Staaten". Führende Partei war
die SED (Sozialistische Einheitspartei
Deutschlands). Ihre Vorsitzenden Walter
Ulbricht (bis 1971) und Erich Honecker waren
die ersten Männer im Staat.

Neben dem Parteiapparat wurde die Staatssicherheit – der
Geheimdienst – zum wichtigen Machtfaktor in der DDR.
Mitarbeiter der „Stasi" überwachten alles und jeden! Ihre
Berichte finden sich in über sechs Millionen Akten!

Beim Aufstand am 17. Juni 1953 wurden wahrscheinlich
etwa 100 Menschen getötet und viele Tausend kamen ins
Gefängnis.

2_17. Juni und Mauerbau

Wut und Unzufriedenheit über die wirtschaftliche
und politische Situation trieben die Menschen am
17. Juni 1953 auf die Straße. Aber sowjetische Panzer
und Soldaten beendeten die Unruhen innerhalb
von zwei Tagen. Bis 1989 war der 17. Juni als „Tag der
Deutschen Einheit" in der BRD Nationalfeiertag.
1953 (und auch in den Jahren davor) waren viele
Menschen aus der DDR in den Westen geflüchtet,
die meisten über Westberlin. Anfang der 60er-
Jahre gab es wieder eine Flüchtlingswelle. Seit
1949 hatten ca. 2,7 Millionen Menschen das Land
verlassen, viele von ihnen waren junge qualifizierte
Arbeiter und Akademiker.
Am 13. August 1961 begann die DDR mit dem Bau
der Mauer.
Die Teilung Deutschlands war damit „zementiert".
Der Weg in den Westen war den DDR-Bürgern bis
Ende 1989 versperrt.

Für seine Ostpolitik und seine Bemühungen um Entspannung und Frieden in Europa erhielt der damalige sozialdemokratische Bundeskanzler Willy Brandt 1971 den Friedensnobelpreis.

3_Deutsch-deutsche Beziehungen

20 Jahre lang gab es nur vereinzelte Kontakte zwischen den Regierungen der beiden deutschen Staaten. Erst 1970 begann der deutsch-deutsche Dialog mit einem Treffen zwischen dem Chef der sozial-liberalen Regierung, Brandt, und dem zweiten Mann in der DDR, Stoph.

Ende 1972 wurde der „Grundlagenvertrag" abgeschlossen. Bundesbürger und Westberliner konnten nun einfacher in die DDR reisen, Verwandte und Bekannte besuchen. Umgekehrt von Ost nach West zu reisen, wurde seltener erlaubt.

Aber der „Kalte Krieg" war noch lange nicht vorbei und die Grenze zwischen den Machtblöcken lief weiter mitten durch Deutschland.

1 Betrachten Sie die Karte auf S. 61: Wo verlief die Grenze zwischen der Bundesrepublik Deutschland und der DDR?

2 Was waren die Gründe für den Mauerbau?

3 Was war – unter anderem – Inhalt des Grundlagenvertrages?

4 Nicht alle Ex-DDR-Bürger haben von der Wende profitiert. Warum? Was meinen Sie?

An den Tagen nach der Maueröffnung im November 1989 herrschte an und auf der Berliner Mauer Partystimmung.

4_Wende gut, alles gut? ⓪ 31

Der sowjetische Präsident Gorbatschow hatte mit seiner Politik der Öffnung und Entspannung ein Signal gesetzt.

Auch die Menschen in der DDR zeigten immer deutlicher ihre Unzufriedenheit mit ihrer dogmatischen Regierung. Im Herbst 1989 eskalierten die Ereignisse: Ungarn öffnete seine Grenzen nach Österreich. Überall in der DDR gab es Demonstrationen für Freiheit und Reformen, bis am 9. November 1989 die Mauer geöffnet wurde. Damit begann das letzte Kapitel der getrennten deutschen Geschichte. Die Entwicklung zeigte bald, dass die Wiedervereinigung nur eine Frage der Zeit war. Die Mehrheit der Bürger wollte in einem vereinten demokratischen Deutschland leben. Am 3. Oktober 1990 waren die DDR und die BRD wieder eine Nation, mit Berlin als Hauptstadt und mit einem neuen Nationalfeiertag.

Politik und Parteien

■ Können Sie die Namen aktueller Politiker aus den deutschsprachigen Ländern nennen?

1_Parlament und Regierung

Die Verfassung der Bundesrepublik Deutschland ist das Grundgesetz. Hier sind nicht nur die Bürgerrechte festgelegt, sondern auch die Grundlagen der staatlichen Ordnung: Die BRD ist Republik und Demokratie, Bundesstaat, Rechtsstaat und Sozialstaat. Die wichtigsten politischen Organe sind das Parlament und die Bundesregierung.
Der Bundestag ist das deutsche Parlament. Im Bundestag sitzen die vom Volk gewählten Abgeordneten. Der Bundestag beschließt die Gesetze und wählt den Bundeskanzler. Im Bundesrat sind die 16 Bundesländer vertreten. Die Bundesregierung, das Kabinett, besteht aus dem Bundeskanzler und den Ministern. Der oberste Repräsentant der BRD ist der Bundespräsident. Er steht über den Parteien und hat keinen direkten politischen Einfluss.

Im Sommer 1999 zog der Bundestag in den umgebauten Berliner Reichstag. Die historischen Formen kontrastieren mit modernster Architektur und Technik im Inneren des Gebäudes.

2_Das Wahlsystem

Bei den Wahlen zum Deutschen Bundestag und den Länderparlamenten hat jeder Wähler zwei Stimmen. Mit der ersten Stimme wählt er den Kandidaten seines Wahlkreises direkt, mit der zweiten Stimme eine Partei. Die abgegebenen Stimmen werden dann nach einem komplizierten System verrechnet und die Sitze im Bundestag entsprechend verteilt.
In der BRD gibt es die „Fünf-Prozent-Klausel". Die Parteien müssen mindestens fünf Prozent der Wählerstimmen gewinnen, sonst kommen sie nicht ins Parlament. Deshalb sind im Deutschen Bundestag bisher nur drei bis fünf Parteien vertreten.

3_Die Schweiz ist anders!

Auch das politische System der Schweiz unterscheidet sich von dem anderer westeuropäischer Staaten. Der Schweizer Staat ist eine Konföderation mit verschiedenen Sprachen und Kulturen. Wichtiger als der Bund sind die Gemeinden – sie waren zuerst da – und die Kantone. Die Minister heißen Bundesräte – einer von ihnen ist jeweils für ein Jahr gleichzeitig Bundespräsident – und regieren sozusagen als Kollektiv. Es gibt vier große Parteien. Eine politische Opposition wie in Deutschland gibt es nicht. Das Zauberwort für das Schweizer Regierungsmodell heißt: „Kompromiss".

4_Länder und Gemeinden

Die BRD hat eine föderalistische Struktur. Jedes Bundesland hat eine eigene Verfassung, eigene Gerichte, eine eigene Regierung und ein Parlament, den Landtag. Die Länder können viele regionale Aufgaben z. B. im Bildungs- und Umweltbereich und in der Kulturpolitik selbstständig regeln.
Städte, Dörfer und Landkreise sind ebenfalls demokratisch organisiert und verwalten sich selbst. Die Bürger kennen ihre Gemeindevertreter und den Bürgermeister oft persönlich und können bei vielen Projekten mitbestimmen.
Auch Österreich ist ein föderalistischer Staat mit neun Bundesländern. Fast die Hälfte der Bevölkerung lebt in Gemeinden mit weniger als 10 000 Einwohnern.

1 Was ist der Unterschied zwischen Bundeskanzler und Bundespräsident?

2 Welchen Zweck hat Ihrer Meinung nach die Fünf-Prozent-Klausel?

3 Was ist in der Schweiz anders? Informieren Sie sich auf den Seiten 88, 90 und 91.

4 Worum kümmert sich in Ihrem Staat die zentrale Regierung? Welche Aufgaben übernehmen die Länder / Regionen?

5 Wie sieht die „Parteien-Landschaft" in Ihrem Land aus? Wird die Regierung von einer oder mehreren Parteien gebildet?

5_Links? Rechts? Mitte?

Christlich-Demokratische Union (die „Schwesterpartei" in Bayern heißt Christlich-Soziale Union CSU), Partei der konservativen bis liberalen Mitte, 1945 gegründet

Sozialdemokratische Partei Deutschlands, 1869 als Arbeiterpartei gegründet, ist heute Partei der neoliberalen, reformerischen Mitte

Freie Demokratische Partei, Partei in der Tradition des deutschen Liberalismus, 1948 gegründet

Die Grünen als Bundespartei 1980 gegründet; „alternative", ökologische Partei; Bündnis 90 1990 aus den Bürgerrechtsgruppen der ehemaligen DDR gebildet; beide Parteien schlossen sich 1993 zusammen

Die Linke, 2007 als Fusion der linken Kräfte in Ost- und Westdeutschland entstanden, Partei des Demokratischen Sozialismus

6_Bitte wählen!

In Österreich haben sich lange Zeit die SPÖ (Sozialdemokratische Partei Österreichs) und die ÖVP (Österreichische Volkspartei) die Macht geteilt. In den letzten Jahren haben auch die FPÖ (Freiheitliche Partei Österreichs) und das BZÖ (Bündnis Zukunft Österreich) viele – vor allem rechte und deutsch-national gesinnte – Wähler gewonnen.
Vier große Parteien bestimmen in der Schweiz das politische Leben:
CVP (Christlich-demokratische Volkspartei)
SP (Sozialdemokratische Partei der Schweiz)
FDP (Freisinnig-Demokratische Partei)
SVP (Schweizerische Volkspartei)

Vom Mittelalter zur Romantik

■ Die Zeit vom Mittelalter bis ins 19. Jh. hinein war reich an kulturgeschichtlichen Entwicklungen. Was wissen Sie über die unterschiedlichen Stile, zum Beispiel in Architektur und bildender Kunst?

1_Kölner Wahrzeichen

Bis zur Fertigstellung des Kölner Doms vergingen über 600 Jahre. Ab 1500 ungefähr „ruhte" der im Mittelalter begonnene Bau. Erst im 19. Jh. ging es weiter und im Jahre 1880 wurde der Dom endlich eingeweiht.

2_Ein neues Sehen

„Betende Hände" oder „Feldhase": diese Motive des Malers Albrecht Dürer (1471–1528) hängen in vielen deutschen (und anderen) Wohnstuben an der Wand.
Dürer hat die neuen Seh- und Denkweisen der italienischen Renaissance nach Deutschland gebracht. Seine Studien zur Natur, Anatomie und perspektivischen Darstellung sind weltberühmt.
In Dürers Heimatstadt Nürnberg zeigen noch heute die Burganlage und der alte Stadtkern die damalige Bedeutung und den Reichtum der Stadt.

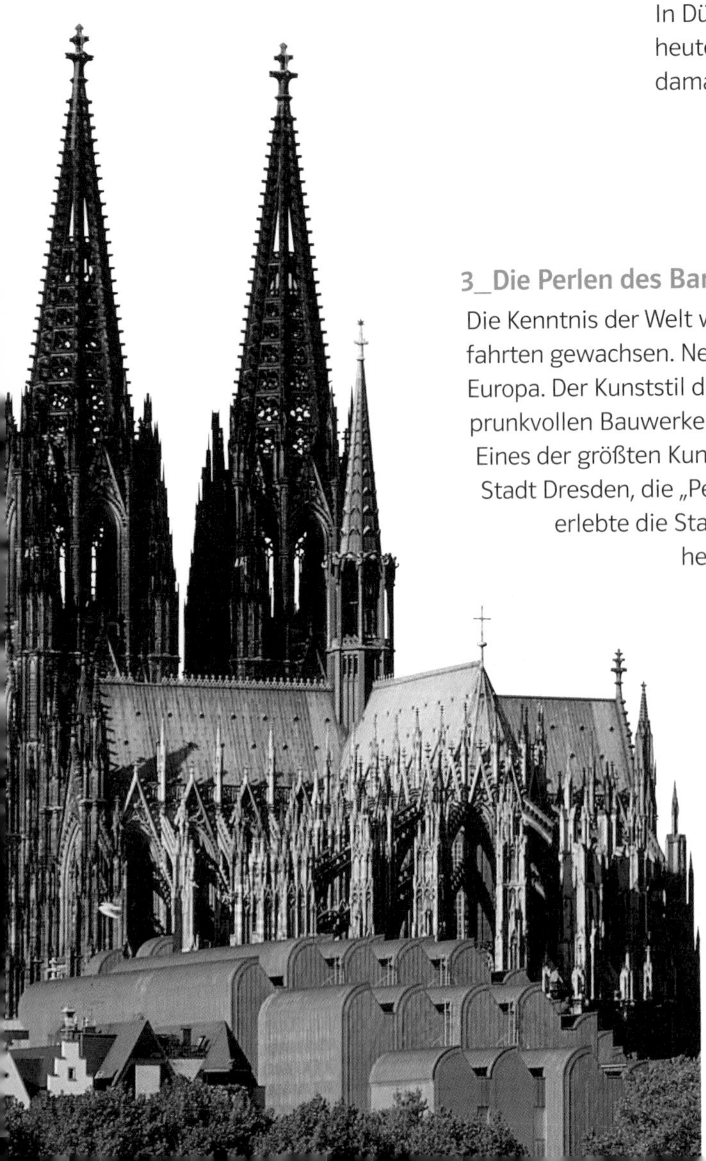

3_Die Perlen des Barock

Die Kenntnis der Welt war im 16. Jahrhundert durch Entdeckungsfahrten gewachsen. Neue Schätze und neues Wissen bereicherten Europa. Der Kunststil dieser Zeit war das Barock. Mäzene für die prunkvollen Bauwerke waren die Kirche, Fürsten und Könige.
Eines der größten Kunstzentren in Deutschland wurde damals die Stadt Dresden, die „Perle des Barock". Unter August dem Starken erlebte die Stadt eine kulturelle Blüte, die man ihr noch heute ansieht. Viele der im Zweiten Weltkrieg zerstörten Bauten, z. B. der Dresdner Zwinger, die Hofkirche und auch die im 19. Jh. errichtete Semperoper sind wieder aufgebaut worden.
Die Würzburger Residenz ist eines der schönsten Barockschlösser im Süden Deutschlands. In Österreich zeugen Schlösser, Palais und Kirchen in Wien, Salzburg und die Stifte in Nieder- und Oberösterreich von einer Blütezeit.
Die Barockklöster in Maria-Einsiedeln und St. Gallen in der Schweiz sind besonders schön.

4_Die Gärten der Könige

Prussian ruler liked Berlin

Den preußischen Herrschern gefiel das städtische Leben in der Hauptstadt Berlin nicht besonders. Sie wählten das nah gelegene Potsdam, um hier in Ruhe regieren zu können.

Der berühmteste unter ihnen war Friedrich der Große (1712 – 1786), kurz auch „Der Alte Fritz" genannt. Er führte viele Kriege und ein *many wars* strenges Regiment. Aber er war auch ein begabter Flötenspieler, *Flöte* Kunstsammler und philosophisch interessiert.

Mit dem Architekten Knobelsdorff zusammen plante der König seinen Wohnsitz, das Schloss Sanssouci. Auch in der Stadt Potsdam findet man viele Bauten aus der Zeit der Preußenkönige.

1 Nennen Sie die Wahrzeichen einiger Städte in Ihrem Land.

2 Würden Sie sich eine Dürer-Reproduktion an die Wand hängen?

3 Welche verschiedenen Bedeutungen hat das Wort „Stift"? Welche passt zum Thema „Barock"?

4 Finden Sie heraus, nach welchen Vorbildern der Park von Schloss Sanssouci angelegt wurde.

5 Welche Werke von Goethe und von Schiller kennen Sie?

5_Die Stadt der Klassik ⓒ 32

Einer der bekanntesten Deutschen ist sicherlich Johann Wolfgang von Goethe. 1749 wurde er in Frankfurt am Main geboren. Er studierte Jura, doch berühmt wurde er als Dichter. *poet* *law*

1775 kam Goethe nach Weimar, wurde Geheimer Rat, eine Art Minister, und nahm am intensiven kulturellen Leben der kleinen Residenzstadt teil.

Durch Amtsgeschäfte und Reisen konnte Goethe sein Wissen über Menschen und Natur erweitern und neue Ideen für seine Dichtungen und Forschungen sammeln. Am wichtigsten war seine erste Italienreise, die fast zwei Jahre dauerte.

Goethe leitete auch das Weimarer Theater, wo viele Dramen seines Freundes Friedrich Schiller Premiere hatten. Für zehn Jahre standen die beiden großen *great thinker* Denker in engem Kontakt, arbeiteten zusammen und schufen in Weimar das, was wir heute die Klassik der deutschen Literatur nennen.

Im Jahr 1805 starb Schiller. Goethe arbeitete und lebte noch bis 1832.

Ein berühmtes Beispiel für die Wiener Barockarchitektur sind die Schlösser und Gärten des Belvedere.

Die beiden großen deutschen Dichter Goethe und Schiller stehen Seite an Seite vor dem Nationaltheater in Weimar.

Das Humboldt-Denkmal vor der Humboldt-Universität in Berlin.

Der Philosoph (Georg Wilhelm) Friedrich Hegel gilt als Vollender der idealistischen Philosophie. Sein systematisches Denken wollte alle Erscheinungen der Natur, Kultur und Religion erklären.

Typisch wienerisch waren (und sind) auch die populären Walzer der Musikerfamilie Strauß.

Beginn der Moderne

■ Als „Moderne" gilt ungefähr die Zeit zwischen der Französischen Revolution 1789 und dem Zweiten Weltkrieg. Welche Entwicklungen und Umbrüche waren wichtig für diesen historischen Zeitabschnitt?

1_Bildung als Lebenssinn ◎ 33

Im 19. Jahrhundert fanden wichtige soziale Veränderungen statt. Die Französische Revolution hatte das politische und kulturelle Selbstbewusstsein der Bürger gestärkt. Am Anfang dieser Zeit standen Forscher-Persönlichkeiten wie Wilhelm von Humboldt (1767–1835). Er interessierte sich für die griechische Antike, fremde Sprachen und Geologie. Dank seiner Kontakte wurde die 1810 gegründete Universität in Berlin zu einem Zentrum des geistigen Lebens in Deutschland. Dort lehrten auch die Philosophen Fichte und Hegel.

Das Bürgertum profitierte vom technischen und wissenschaftlichen Fortschritt, aber die Arbeiter bekamen von den Verbesserungen wenig zu spüren. Ein späterer Philosoph, Karl Marx, übernahm die Systematik Hegels, um diese Situation zu analysieren.

2_Wien und die Musik

Das heutige Konzert- und Operngeschehen wird weitgehend von der Musik des 18. und 19. Jahrhunderts beherrscht. Drei berühmte Meister der Musikgeschichte geben noch heute den Ton an: Mozart, Haydn und Beethoven. Diese Wiener Klassiker schufen die Grundlagen der bürgerlichen Musikkultur des 19. Jahrhunderts.

Mendelssohn-Bartholdy, Schubert, Schumann, Brahms, Bruckner und Wagner sind bekannte Komponisten der romantischen Musik.

Auch ihre Nachfolger Mahler und Richard Strauß werden weltweit aufgeführt. Zu Beginn des 20. Jahrhunderts entwickelte die zweite Wiener Schule mit den Komponisten Schönberg, Webern und Berg mit der Zwölftontechnik eine neue Kompositionsweise.

Emil Nolde (1867 – 1956) malte viele Bilder in der Aquarelltechnik, z. B. dieses mit dem Titel „Meer im Abendlicht".

Der bekannte Architekt Walter Gropius hat die Pläne für die Bauhaus-Gebäude in Dessau gemacht.

3_Farben des Expressionismus

artistic styles

Unter den Kunststilen des 20. Jahrhunderts ist der Expressionismus eine typisch deutsche Richtung. 1905 gründeten junge Maler (E. L. Kirchner, E. Heckel, Schmidt-Rottluff und Emil Nolde) in Dresden die Künstlergruppe „Die Brücke". Ihre Motive waren Mensch, Tier und Natur. Derbe, vereinfachte Formen und kräftige, oft grelle Farben erzeugen einen starken, direkten Ausdruck. 1911 bildete sich in München eine andere Künstlergemeinschaft: „Der blaue Reiter". Franz Marc, Wassily Kandinsky, Gabriele Münter, August Macke und A. Jawlensky gehörten zu dieser Gruppe.

4_Neue Grundlagen der Physik

Jeder kennt Albert Einstein und seine Relativitätstheorie. Aber die meisten Leute wissen nur wenig über die Quantentheorie, die auf Max Planck zurückgeht. Sie beschäftigt sich mit Atomen und noch kleineren Teilchen. Die neuen Erkenntnisse der Physik haben unsere Vorstellungen von Raum, Zeit und Kausalität verändert. An der Universität in Göttingen erforschten seit den 20er-Jahren Physiker und Mathematiker wie Max Born, Felix Klein und James Frank die Natur des Makro- und Mikrokosmos. Kernphysik ist ein Thema für Experten. Aber die praktische Anwendung der Forschungsergebnisse in der Medizin, als Energiequelle und tödliche Waffe betrifft uns alle.

1. Womit beschäftigen sich Philosophen?

2. Hören Sie gern klassische Musik?

3. Welche Rolle spielen die Farben in dem Bild von Nolde? Beschreiben Sie die Stimmung.

4. Ethik und Wissenschaft geraten manchmal in Konflikt. Nennen Sie Beispiele.

5. Was ist typisch für den Bauhaus-Stil?

5_Bauhaus – Stil und Schule

„Bauhaus" dieses deutsche Wort ist international geworden. Besonders in der Architektur und im Industriedesign sind die ästhetischen Ideen des Bauhauses bis heute wirksam. Handwerkliche und künstlerische Gestaltung gehörten im Bauhaus zusammen. Grundlagen waren einfache geometrische Formen, reine Farben und die Eigenschaften der Materialien.
Die Bauhaus-Schule wurde 1919 in Weimar gegründet, musste aber nach sechs Jahren aus politischen Gründen hier schließen. Seine zweite Heimat fand das Bauhaus 1925 in Dessau. Doch auch von hier wurde das Institut 1932 vertrieben. Die Nazis bekämpften fanatisch alle künstlerischen und kulturellen Richtungen der Moderne.

Bis heute

■ Welche deutschsprachigen Künstler – Autoren, Maler, Schauspieler oder Musiker – der Gegenwart kennen Sie?

Auf dem Bild von Rudolf Schlichter steht der „rasende Reporter" Egon Erwin Kisch vor seinem Lieblingscafé. Auf der Litfaßsäule sieht man Plakate mit Titeln von Büchern und Reportagen Kischs.

1_Das Romanische Café ◎ 34

In den 20er-Jahren war Berlin ein Magnet für Künstler und Intellektuelle aus ganz Deutschland. Ein besonders beliebter Treffpunkt war das Romanische Café gegenüber der Gedächtniskirche. Die Maler Otto Dix, Max Liebermann und bekannte Schriftsteller wie Alfred Döblin oder Bertolt Brecht waren regelmäßig im „Romanischen" zu Gast.
Die Kulturjournalisten fanden hier Kontakte und Informationen. Am Abend kamen vor allem Theaterleute wie der Regisseur der Berliner Volksbühne, Erwin Piscator, und der Komponist Friedrich Hollaender. Er schrieb die Lieder für Marlene Dietrich im Film „Der blaue Engel".
Ab 1933 waren die großen Zeiten der Berliner Künstlercafés vorbei. Fast alle „Romanen" gingen ins Exil.

2_Emigration und Exil ◎ 35

Die Diktatur der Nationalsozialisten hatte katastrophale Folgen für die kulturelle Entwicklung Deutschlands. Viele Künstler und Wissenschaftler wurden verfolgt und unterdrückt. Der Schriftsteller Thomas Mann war einer der ersten, der Deutschland verließ. Wie Tausende anderer deutscher Emigranten lebte er zuerst in Nachbarländern. Prag, Zürich, Paris und Amsterdam waren die europäi-

Bücher von Autoren auf der Schwarzen Liste – Alfred Döblin, Bertolt Brecht, Heinrich und Thomas Mann, Stefan Zweig – wurden im Mai 1933 öffentlich verbrannt.

schen Exil-Hauptstädte. Nachdem das faschistische Deutschland immer größere Teile Europas besetzt hatte, flüchteten viele in die USA und nach Lateinamerika.

Joseph Beuys – hier bei einer Kunst-Polit-Aktion auf dem Rhein – verband bildende Kunst mit theatralischen und gesellschaftskritischen Elementen.

3_Die Kunst des Rheinlands

Nach dem Zweiten Weltkrieg standen auch Literatur und bildende Kunst vor einem Neuanfang. Viele deutsche Künstler blieben im Exil oder waren im Krieg umgekommen.

Für die Schriftsteller der Nachkriegszeit war die „Gruppe 47" ein wichtiger Treffpunkt. Auch der Nobelpreisträger Heinrich Böll und Ingeborg Bachmann gehörten dazu. In vielen seiner Romane und Erzählungen schreibt er über die Kriegserfahrungen und die Probleme der Zeit nach 1945. Seine Heimat, Köln und das Rheinland, und der dort verbreitete Katholizismus spielten auch eine wichtige Rolle.

Ebenfalls im Rheinland, in Düsseldorf, wurde die Staatliche Kunstakademie ein „Motor" für neue Tendenzen in der bildenden Kunst. Ein international bekannter Künstler, der dort studierte und lehrte, war Joseph Beuys.

Ingeborg Bachmann aus Klagenfurt in Österreich war eine faszinierende Frau und Dichterin. Ein großer Literaturpreis trägt seit 1976 ihren Namen.

1 Was passierte 1933 in Deutschland? Lesen Sie nach auf S. 40.

2 a. Kennen Sie andere Deutsche, die ab 1933 ins Ausland – vielleicht sogar in Ihr Land – geflüchtet sind?
b. „Dort, wo man Bücher verbrennt, verbrennt man am Ende auch Menschen." So schrieb Heinrich Heine lange vor der Nazizeit. Kommentieren Sie dieses Zitat.

3 Hatte die Gruppe 47 ihren Namen
– nach der Zahl ihrer Mitglieder?
– nach dem Jahr ihrer Gründung?

4 Was ist ein Hörspiel? Definieren Sie.

4_Literatur aus der Schweiz ◎ 36

Zwei Schweizer Schriftsteller starteten mit dem Ende des Krieges ihre internationale Karriere: Max Frisch und Friedrich Dürrenmatt. Beide studierten in Zürich, beide begannen als Dramatiker und wurden dann auch als Prosaautoren bekannt. Das Schauspielhaus in Zürich war für sie eine wichtige Arbeitsstätte. Anfang der 60er-Jahre hatten hier z. B. die Stücke „Andorra" von Frisch und „Die Physiker" von Dürrenmatt Premiere. Max Frisch schrieb auch Tagebücher und Romane wie „Stiller" und „Homo Faber". Die Identitäts- und Persönlichkeitsprobleme der Menschen in unserer Zeit sind sein zentrales Thema. Friedrich Dürrenmatt wurde auch als Autor von Hörspielen und literarischen Kriminalromanen bekannt wie „Der Richter und sein Henker".

Frisch (links) und Dürrenmatt haben viel Kritisches und Nachdenkliches über die Schweiz und die Schweizer geschrieben. Trotz einiger Gemeinsamkeiten waren sie sehr unterschiedliche Schriftstellerpersönlichkeiten.

Wirtschaft und Industrie

■ Kaufen Sie deutsche Erzeugnisse oder finden sich welche in Ihrem Haushalt?

1_Industrie und Handel

Trotz der strukturellen Veränderungen in den letzten Jahren ist die Industrie immer noch ein wichtiger Faktor für die deutsche Wirtschaft. Die wichtigsten Industriezweige sind die Automobilproduktion, der Maschinenbau, die chemische und elektrotechnische Industrie. Die Entwicklung neuer, umweltfreundlicher Technologien ist *das* Thema für die Zukunft.

An der Spitze der deutschen Exportgüter stehen Anlagen für die Produktion von Industriegütern (Werkzeug- und Druckmaschinen), chemische Produkte und Kraftfahrzeuge. Importiert werden vor allem Textilien und Agrarprodukte.

Wichtige Handelspartner der BRD sind Frankreich, die USA sowie Großbritannien und in zunehmendem Maße auch die osteuropäischen EU-Länder.

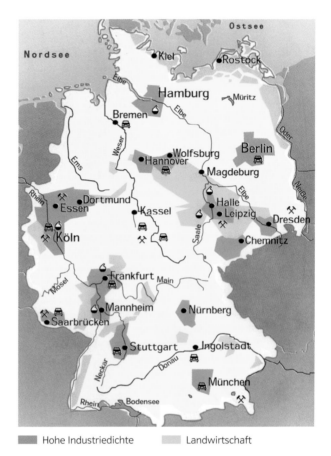

■ Hohe Industriedichte   Landwirtschaft

⊚ 37

»Von den Hofbesitzern hier im Dorf ist nur noch einer hauptberuflich Bauer. Dem haben wir auch den Großteil unseres Landes verkauft. Vieh haben wir auch keins mehr, nur noch Enten, Gänse und die Hühner. Ich arbeite schon seit 20 Jahren im Straßenbau. Vor 15 Jahren habe ich den Campingplatz am Fluss eröffnet. Läuft ganz gut jetzt, aber is' auch viel zusätzliche Arbeit, besonders im Sommer.«

2_Die Landwirtschaft ⊚ 38

Deutschland ist schon lange kein Agrarland mehr, aber in einigen Bundesländern wie in Bayern und Mecklenburg-Vorpommern ist die Landwirtschaft ein wichtiger wirtschaftlicher Faktor. Ungefähr die Hälfte der Fläche der BRD wird landwirtschaftlich genutzt. Die meisten Bauernhöfe werden wie früher als kleine Familienbetriebe geführt. Aber nur zwei bis drei Prozent aller Erwerbstätigen sind heute noch „Vollzeit-Bauern".

Die wichtigsten Agrarprodukte „aus deutschen Landen" sind Milch, Fleisch, Getreide und Zuckerrüben. Auch der Wald ist ein Wirtschaftsfaktor. Fast ein Drittel der Fläche der BRD ist mit Wald bedeckt: Er liefert Holz und Sauerstoff und muss deshalb geschützt werden.

3_Made in Germany

Daimler, Siemens, Porsche, Lufthansa, SAP: Deutsche Unternehmen mit gutem Ruf stehen für das weltweit bekannte Qualitätszeichen „Made in Germany".
Zur momentan drittgrößten Volkswirtschaft der Welt gehören aber nicht nur die großen Konzerne, sondern auch viele mittlere und kleine Betriebe, die genauso auf Qualität setzen.
Deutschland ist auch immer noch das Land der Erfinder und Entwickler: Mehr als 10 % der Patente weltweit werden jedes Jahr von Deutschen angemeldet.

1 Welche Industriezweige nehmen in Deutschland die ersten Plätze ein?

2 Wie ist die Situation der Bauern in Ihrem Land?

3 Kennen Sie Dinge, die Deutsche erfunden haben?

4 Welche Dienstleistungen sind für den Tourismus besonders wichtig?

5 Wie heißt der Wirkstoff in Aspirin?

4_Ökonomie beim Nachbarn

In Österreich spielt der Tourismus eine große Rolle für die gesamte Wirtschaft, besonders im Dienstleistungs-Sektor. Mit Pro-Kopf-Einnahmen über 1500 Euro aus dem Reiseverkehr ist Österreich „Welt-Spitze".
Die Schweiz ist bekannt für die Produktion von Uhren, Chemie-Erzeugnissen, Nahrungsmitteln und Medizintechnik. Tradition hat dort auch der Umgang mit (fremdem) Geld an den Finanz- und Handelsplätzen der großen Städte.

5_Die Wunderpille

Jeder kennt sie, jeder nimmt sie ein und mit – sogar die Astronauten auf dem Weg ins All: die Kopfschmerz-tabletten vom Typ Aspirin.
Aber fast niemand weiß, dass er dieser Wunderpille des 20. Jahrhunderts zwei Deutschen zu verdanken hat. Felix Hoffmann und Heinrich Dreser haben das neue Medikament im Labor hergestellt und unter dem Namen Aspirin 1899 auf den Markt gebracht.
Die Bezeichnung Aspirin war nach kurzer Zeit so bekannt, dass sie international *das* Wort für Schmerztablette geworden ist.
Und wie neuere Forschungen zeigen, hilft die Pille aus Leverkusen auch Herz- und Kreislaufkranken.

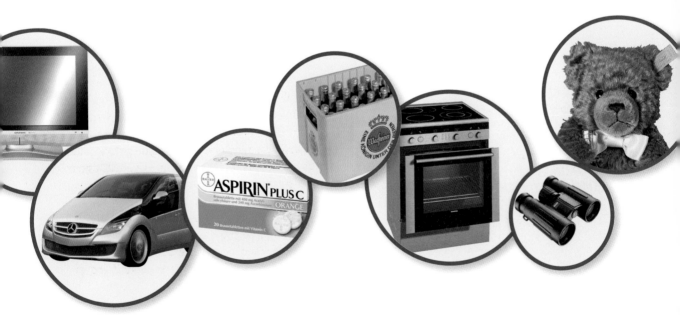

Krisen und Konflikte

■ Bestimmt hören Sie auch von Problemen in der bundesdeutschen Gesellschaft.
Was fällt Ihnen dazu ein?

1_Jugend in der Krise?

Die jungen Leute in Deutschland haben Probleme, aber die meisten blicken trotzdem optimistisch in die Zukunft. Ihre größten Sorgen betreffen die Themen Ausbildung und Arbeit. Fast drei Viertel der jungen Leute zwischen 18 und 21 leben noch bei ihren Eltern und die meisten wollen lieber zuerst auf eine eigene Familie verzichten. Ihre Ausbildung und das berufliche Weiterkommen sind ihnen wichtiger.

»Manchmal habe ich schon Angst vor der Zukunft. Egal, was für eine Ausbildung du machst, du weißt nie, ob du später einen sicheren Arbeitsplatz bekommst. Und ob ich in meiner Heimatregion bleiben kann, weiß ich auch nicht. Ich würde ungern weggehen, weil ich hier meine Familie und viele Freunde habe. Aber den anderen geht es ja genauso …«

»Heute quatschen alle davon, dass die Jugendlichen so unpolitisch und pessimistisch sind. Das stimmt doch gar nicht. Meine Freundinnen und ich diskutieren oft über Neonazis oder Umweltthemen und unsere Schülerzeitung ist auch ganz schön kritisch. Klar, wir hängen auch gerne ab oder kaufen uns geile Klamotten. Aber das heißt ja nicht, dass wir nur blöde und oberflächlich sind.«

2_Fremde Heimat?

In den 60er-Jahren suchte die Wirtschaft dringend Arbeitskräfte. Viele der sogenannten Gastarbeiter, die damals nach Deutschland kamen, leben heute auf Dauer hier. Ihre Kinder sind hier geboren und sprechen meist besser Deutsch als ihre Muttersprache. Aber auch immer mehr Flüchtlinge aus Krisengebieten suchen Schutz und vielleicht auch eine neue Heimat in Deutschland.
Insgesamt leben ungefähr zehn Millionen Ausländer in Deutschland.
Mit Hilfe von Gesetzen und verschiedenen Initiativen versucht die Bundesregierung für mehr Integration zu sorgen und die Chancen von – insbesondere jungen – Migranten zu verbessern. Trotzdem leben viele Ausländer eher am Rand der Gesellschaft und werden nicht von allen akzeptiert.

3_Umweltprobleme ⓐ 39

Seit 1986 gibt es in Bund
und Ländern Ministerien für
Umwelt und Naturschutz. Die
verschiedenen Programme
und Maßnahmen haben
schon einiges verbessert.

In den meisten Haushalten werden die Abfälle
getrennt sortiert und entsorgt.

Das Wasser in Seen und Flüssen ist sauberer geworden:
Im Rhein und in der Elbe leben wieder zahlreiche Fischarten.
Filteranlagen in Kraftwerken verringern die Luftverschmutzung.
Trotzdem hat die BRD genügend „Sorgenkinder" im Umwelt-
bereich. Noch immer sind zwei Drittel der Bäume in deutschen
Wäldern krank. Das Leben in Nord- und Ostsee ist in Gefahr.
Der Autoverkehr wächst und niemand weiß genau, wo und wie
man den Atommüll sicher deponieren kann.
Auch die Bürger und nichtstaatliche
Organisationen kümmern sich um den
Umweltschutz. In den meisten Haushalten
werden die Abfälle getrennt sortiert. Man
versucht sparsam mit Energie umzugehen,
und es gibt viele Sonnenkollektoren auf
Dächern und manchmal auch Windräder für
den Hausgebrauch.

Um Tiere, Pflanzen und Landschaften zu schützen, gibt
es in Deutschland zahlreiche
Schutzzonen, z. B. 14 große
Nationalparks.

1 Haben die Jugendlichen in Ihrem
Land die gleichen Sorgen?

2 **a.** Was ist an dem Cartoon auf
S. 56 komisch? Was nicht?
b. Früher sagte man „Gastarbeiter", heute „ausländische Arbeitnehmer". Wie erklären Sie diese
Änderung im Sprachgebrauch?

3 **a.** Wie kann jeder Bürger „privat"
Umweltschutz praktizieren?
b. Finden Sie, dass die Deutschen
besonders umweltbewusst sind?

4 Würden Sie auch ein Freiwilliges
Ökologisches Jahr absolvieren?
In welchem Bereich?

5 Welche Verkehrsprobleme gibt es
in Ihrem Land?

4_FÖJ . . .

. . . ist die Abkürzung für:
Freiwilliges Ökologisches
Jahr. Jugendliche zwischen 16
und 27 Jahren können daran
teilnehmen. Sie arbeiten auf
Bio-Bauernhöfen oder in
Nationalparks, retten Kröten
vor dem Autoverkehr oder
organisieren die Jugendarbeit
in Umweltverbänden. Die
Teilnehmer bekommen nur ein
Taschengeld dafür. Trotzdem
gibt es jedes Jahr mehr
Bewerber als freie Plätze.

5_Durchgangsverkehr

Österreich und die Schweiz haben als Transit-
länder ein gemeinsames Umweltproblem: den
Autoverkehr über die Alpen. Bürgerinitiativen
verlangen deshalb, vor allem die Lastwagen mit
der Bahn durchs Land zu bringen.

Medienmarkt

- Wie informieren Sie sich über das politische Tagesleben?

- Kann man in Ihrem Land deutsche Fernsehsender empfangen?

1_Sender und Programme

Bis in die 80er-Jahre gab es in der BRD nur den öffentlich-rechtlichen Rundfunk. ARD (Arbeitsgemeinschaft der öffentlichrechtlichen Rundfunkanstalten Deutschlands) und ZDF (Zweites Deutsches Fernsehen) waren die einzigen nationalen Fernsehprogramme. Die Sender der einzelnen Bundesländer produzierten Fernsehsendungen, das Dritte Programm sowie Radioprogramme. Heute müssen die „Öffentlich-Rechtlichen" mit einer Vielzahl privater Anbieter konkurrieren, z. B. RTL, Pro 7 oder SAT 1. Viele Haushalte haben Kabel- oder Satellitenfernsehen und –radio und können unter mehr als 25 Programmen auswählen.

Der Schwerpunkt von 3sat ist Kultur und Information. Es ist ein Gemeinschaftsprogramm von Deutschland (ARD, ZDF) mit Österreich (ORF) und der Schweiz (SF).

»Also ich könnte nicht mehr ohne Computer und Internet auskommen. Eigentlich nutze ich beides fast jeden Tag. Ich brauche das Internet, um meine Hausaufgaben zu erledigen. Das würde mit Büchern nicht so schnell und gut gehen. Das Internet ist auch wichtig für die Kommunikation mit Freunden – irgendeiner ist immer online. Und natürlich zum Spielen, Musikhören und Filmegucken. Auch über die neuesten Nachrichten aus aller Welt informiere ich mich dort.«

2_Lies mal wieder! ⓢ 40

Trotz der Konkurrenz durch neue Medien lesen zwei Drittel der über 14-jährigen Frauen in Deutschland, aber nur 50 % der Männer regelmäßig Bücher. In Deutschland gibt es über 2000 Literatur-Verlage, sehr kleine mit zwei oder drei Mitarbeitern und Riesen wie den international tätigen Bertelsmann-Konzern. Bis zum Zweiten Weltkrieg war Leipzig die wichtigste Verlagsstadt in Deutschland. Heute findet man die meisten Verlage in München, Berlin, Hamburg und Frankfurt am Main. In Frankfurt findet jeden Herbst die Internationale Buchmesse statt, die größte der Welt.

Die Frankfurter Buchmesse präsentiert jedes Jahr ein anderes Land als Ehrengast.

3_Die Presselandschaft

In Deutschland gibt es ungefähr 380 Tages- und Wochenzeitungen. Die meisten sind regionale Zeitungen, die die Leser abonnieren. Sie berichten jedoch nicht nur über Lokales, sondern auch über das Weltgeschehen. Einige Zeitungen wie die „Frankfurter Allgemeine Zeitung" oder die „Süddeutsche Zeitung" sind in ganz Deutschland verbreitet und haben großen Einfluss auf die Meinungsbildung. Wochenzeitungen wie „Die Zeit" oder das Nachrichtenmagazin „Der Spiegel" bieten Hintergrundinformationen, Analysen und Reportagen zu aktuellen Themen.

In jedem Zeitungskiosk sieht man, wie riesig das Angebot an deutschsprachigen Zeitschriften und Illustrierten ist. Es gibt Fachzeitschriften für bestimmte Berufe oder Hobbys, Zeitschriften für Frauen und Jugendliche und jede Menge Zeitschriften mit Radio- und Fernsehprogrammen.

1 Welche Art von TV-Programmen sehen Sie am liebsten?

2 Haben Sie schon einmal ein deutschsprachiges Buch im Original gelesen?

3 a. Was ist der Unterschied zwischen einer Zeitung und einer Zeitschrift?
b. Der BILD-Leser nennt einige Argumente für diese Zeitung. Welche?
c. Kritiker der BILD-Zeitung sagen: BILD macht blind. Wie verstehen Sie diese Aussage?

4 Welche Zeitung in Ihrem Land gibt es schon sehr lang?

Die meistgekaufte Tageszeitung ist die BILD.
Sie hat große Bilder, fette Schlagzeilen und wenig Text.

»Ich lese die BILD morgens im Bus, auf 'm Weg zur Arbeit. Die anderen Zeitungen, die's am Kiosk zu kaufen gibt, sind ja viel zu teuer. Mich interessiert auch nicht so sehr die große Politik, mehr so, was anderen Menschen passiert – Glück und Leid, sag ich mal. Und meine Kollegen lesen auch die BILD, da hat man immer Gesprächsstoff.«

Newspapers seem very important

4_Die erste Zeitung

Die Presse hat in der Schweiz eine besonders lange Tradition. Die erste Zeitung überhaupt ist angeblich hier gedruckt worden, und zwar 1597 in Rorschach. 1610 erschien in Basel eine Wochenzeitung und 1623 in Zürich. Die meisten der heute noch existierenden Zeitungen sind im 19. Jahrhundert gegründet worden.

Bremen, Graz, Luzern, …

■ Lokalisieren Sie die abgebildeten Städte auf der Karte nebenan. Was haben alle diese Städte gemeinsam?

Die Stadt Luzern ist der Hauptort des gleichnamigen Kantons. Sie ist der Mittelpunkt der Zentralschweiz und ein beliebtes Ziel von Touristen aus aller Welt.

Bremen liegt zu beiden Seiten des Flusses Weser. Der Marktplatz mit dem Dom und dem Rathaus ist einer der ältesten öffentlichen Plätze der Stadt.

In Stuttgart, der Landeshauptstadt und größten Stadt Baden-Württembergs, steht der erste Fernsehturm der Welt. Er wurde 1956 in Betrieb genommen.

Graz, die Landeshauptstadt der Steiermark, ist nach Wien und vor Linz die zweitgrößte Stadt Österreichs.

Im Mittelalter hatte Erfurt den Beinamen „Thüringisches Rom" – wegen der zahlreichen Kirchen und Klöster. Auch heute findet der Besucher in der Stadt noch ungewöhnlich viele Sakralbauten, z. B. den Dom und die Serverikirche.

In Deutschland

Im Nordwesten

■ Welche Bundesländer liegen an der Nordsee? Sehen Sie sich die Karte auf Seite 61 an.

1_Land der Gegensätze

Nach Bayern ist Niedersachsen das zweit-
größte Bundesland und landschaftlich sehr
abwechslungsreich: 300 km Küste an der
Nordsee, die Norddeutsche Tiefebene in der
Mitte und das Harz-Gebirge im Süden.
Zwei Drittel der Fläche Niedersachsens
sind Agrarland. Traditionelle Bauernhäuser,
Getreidefelder, Pferde und schwarzbunte
Kühe auf den Weiden bestimmen dort das
Landschaftsbild.
Die Industrie des Landes konzentriert sich im
Raum Hannover-Braunschweig. Die jährliche
Industriemesse in Hannover ist die größte
der Welt. Die Volkswagen-Stadt Wolfsburg
liegt in der Nähe der Landeshauptstadt.
In Niedersachsen sprechen und pflegen noch
viele Menschen, besonders auf dem Land,
ihren Dialekt, das Platt(= Nieder)deutsche.
In Hannover dagegen kann man das reinste
Hochdeutsch der Republik hören.

2_Zwischen Nord- und Ostsee

Schleswig-Holstein ist auf zwei Seiten
vom Meer umgeben. Im nördlichsten
Bundesland gibt es kaum Wald, aber umso
mehr Wind und Wasser.
Die Menschen in Schleswig-Holstein haben
schon immer von und mit dem Meer gelebt.
Sie kennen auch die zerstörerische Gewalt
des Wassers. Die Bewohner der Nordseeküste müssen das Land mit immer höheren
Deichen gegen Sturmfluten schützen.
Fischerei und Schiffsbau sind traditionelle
Produktionszweige, wichtig sind heute aber
auch der Tourismus und die Landwirtschaft.
Schleswig-Holstein mit seinen Hafen-
städten ist das „Tor" Deutschlands zu den
skandinavischen und den Ostsee-Staaten.
Der Nord-Ostsee-Kanal ist der meist-
befahrene künstliche Wasserweg Europas.
In der Landeshauptstadt Kiel findet jedes
Jahr die „Kieler Woche" mit Segelregatten
und Kulturprogramm statt.

Lilafarbenes Heidekraut, sandiger Boden,
Wacholder – das sind die typischen
Merkmale der Lüneburger Heide. Sie ist
eines der ältesten und bekanntesten Natur-
schutzgebiete Deutschlands.

Das 500 Jahre alte Holstentor steht
in der Hansestadt Lübeck.

Statt Windmühlen gewinnen
heute moderne Windkraftanlagen
erneuerbare Energie.

3_Ferien an der Küste

Egal ob Nordsee oder Ostsee – überall an Deutschlands Küsten gibt es schöne Ferienorte. Sehr beliebt sind die Ost- und Nordfriesischen Inseln, z. B. das autofreie Langeoog, Sylt und auch die rote Felseninsel Helgoland mitten im Meer. Die winzigen Inseln an der Westküste von Schleswig-Holstein heißen Halligen. Sie sind nicht durch Deiche gegen das Meer geschützt. Bei Sturm melden sie „Land unter" und die wenigen erhöht liegenden Häuser sind dann wie Schiffe vom Meer umgeben. An der Nordseeküste erstreckt sich das bis zu 30 km breite Wattenmeer. Bei Ebbe kann man dort mit einem Führer Wanderungen machen: Dieser Nationalpark bietet Lebensraum für viele Tier-, besonders Vogelarten, und Pflanzen.

4_HH und HB ◎ 41

Im Norden Deutschlands liegen auch die beiden Hansestädte Hamburg und Bremen. Sie sind Stadtstaaten, das heißt Stadt und Bundesland zugleich. Der Bürgermeister ist nicht nur der Stadtoberste, sondern auch der Chef der Landesregierung. Der Hamburger Hafen ist der größte Deutschlands. Er liegt über 100 Kilometer von der Nordsee entfernt, gilt aber trotzdem als Seehafen. Hamburg hat viel Industrie und ist auch als Medienstadt bekannt. Große Verlage, Werbeagenturen und Filmproduktionen haben hier ihren Sitz.
Bremen ist das kleinste Bundesland und eigentlich ein 2-Städte-Land. Die Hafenstadt Bremerhaven – 53 Kilometer entfernt von der Stadt Bremen – gehört auch dazu. Auch die Bremer Stadtmusikanten aus dem gleichnamigen Märchen der Brüder Grimm gehören zu Bremen, obwohl sie gar nicht bis Bremen gekommen sind.

1 Wie ist die deutsche Standardsprache (Hochdeutsch) entstanden? Informieren Sie sich auf S. 10.

2 Sollten die Windräder einzeln in der Landschaft stehen oder in großen Parks? Was meinen Sie?

3 Würden Sie gern auf einer Hallig Ferien machen?

4 **a.** Kennen Sie andere Städte in Deutschland mit der Bezeichnung Hansestadt? (Tipp: Schauen Sie auf S. 66 nach.)
b. Kennen Sie das Märchen „Die Bremer Stadtmusikanten"? Können Sie es nacherzählen?

5 Wo verläuft heute die Grenze zu Dänemark? Schauen Sie sich die Karte auf S. 7 an.

5_Deutsche und Dänen

Tausend Jahre haben sich Deutsche und Dänen um Schleswig-Holstein gestritten. Nach zwei Kriegen wurde es 1864 Teil Deutschlands und 1866 preußische Provinz. Bei einer Volksabstimmung nach dem Ersten Weltkrieg entschied sich aber die Mehrheit der Bevölkerung im Norden, wo vor allem Dänen lebten, für Dänemark. Schleswig-Holstein verlor ein Fünftel seiner Fläche.

Wer die Einsamkeit liebt, verbringt seinen Urlaub am besten auf einer Insel.

Die Alsterarkaden wurden 1843 im Renaissancestil erbaut.

Im Bodemuseum auf der berühmten Museumsinsel (UNESCO-Weltkulturerbe) sind interessante Sammlungen zu sehen, z. B. ältere Skulpturen oder byzantinische Kunst.

Das Dokumentationszentrum zur Berliner Mauer an der Bernauer Straße steht dort, wo bis 1989 die Mauer Berlin in Ost und West teilte. Von der Plattform des Aussichtsturms hat man einen Blick auf die Reste der Grenzanlage.

Berlin erleben

- Berlin war im 20. Jahrhundert Hauptstadt des Kaiserreichs, der Weimarer Republik, des Dritten Reichs und des wiedervereinigten Deutschlands.
  Finden Sie die passenden Jahreszahlen: a. 1933   b. 1871   c. 1919   d. 1991.

1_Eine Rundfahrt

Wer einen ersten Überblick über Berlin bekommen möchte, fährt am besten zum Fernsehturm auf dem Alexanderplatz, dem Zentrum Ostberlins. Dort kann man seinen Kaffee in 207 m Höhe trinken. „Unter den Linden", die ehemalige Prachtstraße, liegt ganz in der Nähe. Sie führt vorbei am Berliner Dom und an der Museumsinsel mit vier Museen bis zum Brandenburger Tor. Eine besonders preiswerte Stadtrundfahrt bietet die Buslinie 100. Die typischen „Doppeldecker"-Busse fahren vom Alexanderplatz zum Bahnhof Zoo. Von dort ist man sehr schnell am Kurfürstendamm – „Ku'damm" sagen die Berliner – mit seinen vielen Cafés, Restaurants, Theatern, Kinos und der berühmten Gedächtniskirche.

2_Zur Mauer, bitte! 42

Bis zum November 1989 teilte die Mauer die Stadt Berlin in zwei Hälften. Die Übergänge wurden streng bewacht. Heute wollen die meisten Berlinbesucher die wenigen Reste der Mauer besichtigen.
An der „Gedenkstätte Berliner Mauer" an der Bernauer Straße erinnern Mauerreste an die Jahre der Teilung und die Menschen, die bei Fluchtversuchen im Stadtgebiet ums Leben kamen.

43

»Ist doch echt komisch, dass die Leute aus aller Welt hierher kommen, um etwas zu sehen, was gar nicht mehr existiert. Die Mauer ist Geschichte – zum Glück! Aber die Touristen interessieren sich für alles, was mit der Teilung Berlins und Deutschlands zusammenhängt. Ich bin in West-Berlin geboren und aufgewachsen. Kaum zu glauben – aber die Berliner hatten sich an das Leben in der Mauerstadt gewöhnt.«

Viele Berliner mit türkischem Migrationshintergrund wohnen im Bezirk Kreuzberg, auch „Klein-Istanbul" genannt.

Seit 1996 findet jedes Jahr zu Pfingsten der „Karneval der Kulturen" statt – ein buntes, internationales Fest mit Tanz und Musik unter dem Motto: Respekt und Toleranz für alle Nationen und Kulturen!

3_Unterwegs in Berlin

Berliner und Berlin-Besucher nutzen die Vorteile der öffentlichen Verkehrsmittel und fahren mit S-Bahn, U-Bahn, Tram oder den vielen Bussen – pünktlich, sicher und schnell!
Auch „Nachtschwärmer" können mit fast 100 Nachtbussen kreuz und quer durch die Stadt fahren. Am Wochenende verkehren auch die meisten U- und S-Bahn-Linien durchgehend.
Es gibt günstige Tages- und Touristenkarten. „Schwarzfahren" empfiehlt sich nicht: Die Kontrolleure arbeiten in Zivilkleidung und gelten als besonders unnachgiebig!
Mit der S-Bahn und der Regionalbahn kommt man schnell in die schöne Umgebung Berlins, z.B. nach Potsdam, an den Wannsee und zu den vielen Schlössern und Seen in der Mark Brandenburg. Apropos Seen und Flüsse (oder Kanäle): Auch per Schiff kann man Stadt und Umland kennen lernen.

1 Welche der erwähnten Sehenswürdigkeiten interessieren Sie besonders?

2 Wie kam es zum Fall der Mauer? Lesen Sie nochmal auf S. 45 nach.

3 **a.** Was sind die Vorteile des öffentlichen Verkehrssystems? Gibt es auch Nachteile?
b. Was bedeutet das Wort „schwarzfahren"?

4 Aus welchen Ländern sind seit 1960 Zuwanderer nach Berlin gekommen?

4_Multikulturelles Leben ⑯ 44

In keiner anderen deutschen Stadt leben Menschen mit so vielen verschiedenen Nationalitäten wie in Berlin. Nach dem Krieg kamen zuerst die Alliierten. Anfang der 60er-Jahre kamen die sogenannten Gastarbeiter aus Italien, Griechenland, Jugoslawien und später aus der Türkei. Auch Aussiedler und Asylbewerber aus den Krisengebieten Afrikas, Asiens und Europas flüchteten hierher. Die Berliner und ihre ausländischen Mitbürger leben oft nebeneinander, nicht miteinander. Es gibt Vorurteile und Konflikte, aber auch viele Gruppen, die sich um Verständigung und kulturellen Austausch bemühen.

Im Nordosten

■ Welche Region in Ihrer Heimat ist ziemlich ländlich und vielleicht etwas rückständig? Liegt sie am Rand oder im Zentrum des Landes?

1_Natur pur ⊚ 45

Das neue Bundesland Mecklenburg-Vorpommern ist mit der Vereinigung entstanden und sehr dünn besiedelt: Hier leben auf einem Quadratkilometer nur 73 Einwohner. Schon früher hat man gesagt, dass in Mecklenburg-Vorpommern die Uhren langsamer gehen. Bis ins frühe 20. Jahrhundert waren die Bauern von Großgrundbesitzern abhängig und auch der technische Fortschritt erreichte diese Region sehr spät.

Das größte Kapital des Landes ist die Natur: die Ostseeinseln Rügen und Usedom, die langen Strände an der Küste und die ca. 650 Seen der Mecklenburgischen Seenplatte. Die Entwicklung eines „sanften" Tourismus soll verhindern, dass die Naturschönheiten zerstört werden.

Rostock ist die größte Stadt in Mecklenburg-Vorpommern. Landeshauptstadt wurde aber nach der Wiedervereinigung die alte Residenzstadt Schwerin.

2_Der Strandkorb

Der offizielle Erfinder dieses typisch deutschen Freizeit-Möbels war der Korbmacher Johann Falk vom Hof in Rostock. Ende des 19. Jahrhunderts kamen die Strandkörbe an Deutschlands Küsten in Mode.

Am Marktplatz der Hansestadt Greifswald.

3_Die Hanse ⊚ 46

Die Hanse war seit etwa 1350 ein politischer und wirtschaftlicher Bund von deutschen und anderen Handelsstädten. 70 bis 80 Städte, vor allem in Norddeutschland und an der Küste, gehörten dazu. 200 Jahre lang hatte die Hanse das Handelsmonopol im Ostseeraum. Sie führte mehrere Kriege und organisierte den Austausch von Waren. Viele Giebelhäuser und Kirchen im typischen Stil der Backsteingotik stammen aus dieser Zeit. Sie bezeugen über Jahrhunderte hinweg den Reichtum und die Macht der Hansestädte. Hamburg, Bremen, Lübeck, Rostock, Wismar, Stralsund und Greifswald tragen sogar den Buchstaben „H" (für Hansestadt) im Autokennzeichen.

Die berühmten Kreidefelsen auf Rügen, Deutschlands größter Insel.

Im Schloss Cecilienhof in Potsdam verhandelten 1945 die Siegermächte über die Zukunft Deutschlands. Die Potsdamer Beschlüsse regelten die Aufteilung in Besatzungszonen und andere wichtige Fragen.

1 Viel Tourismus kann auch negative Folgen für eine Region haben. Welche sind das? Wie kann man sie Ihrer Meinung nach vermeiden?

2 Was glauben Sie, kostet ein Strandkorb ungefähr:
a. 800 €   b. 1400 €   c. 2000 € ?

3 Welche der genannten Hansestädte liegen direkt an der Küste? Welche nicht?

4 Wofür ist Potsdam berühmt? (Sehen Sie auf Seite 49 nach.)

5 Was für ein „Auge" braucht der Besucher der Mark Brandenburg?

4_Das Land um Berlin

Brandenburg, das größte der neuen Bundesländer, umschließt die Hauptstadt Berlin. Ganz in der Nähe liegt die Landeshauptstadt Potsdam.

Brandenburg war lange Zeit ein Agrarland. Der wenig fruchtbare Sandboden hat den Bewohnern aber nie großen Reichtum gebracht. Im 17. und 18. Jahrhundert wurden viele Siedler aus anderen Ländern geholt. Diese Einwanderer – Holländer, Böhmen, Hugenotten aus Frankreich – waren eine große Hilfe bei der Entwicklung des Landes.

Zu DDR-Zeiten war Brandenburg ein Zentrum der Großindustrie. 150 Jahre lang wurde im Süden des Landes Braunkohle, das „schwarze Gold", aus der Erde geholt. Heute versucht man neue Nutzungen für die Löcher in der Landschaft zu finden: Museale Industrieparks und renaturierte Erholungsgebiete mit großen Badeseen entstehen.

5_Fontanes Wanderungen

In seinen „Wanderungen durch die Mark Brandenburg" beschreibt der Dichter Theodor Fontane (1819–1898) im Stil des Reisefeuilletons Naturschönheiten, Kirchen und Schlösser und die Bewohner der Region.

„Es ist mit der märkischen Natur wie mit manchen Frauen. ‚Auch die Hässlichste' – sagt das Sprichwort – ‚hat immer noch sieben Schönheiten.' Ganz so ist es mit dem ‚Lande zwischen Oder und Elbe', wenige Punkte sind so arm, dass sie nicht auch ihre sieben Schönheiten hätten. Man muss sie nur zu finden verstehen. Wer das Auge dafür hat, der wag es und reise."

Typisch für Brandenburg und Mecklenburg-Vorpommern sind die alten Alleen. Die meisten sollen bleiben, auch wenn es hier immer wieder „kracht". Schließlich kann man auf so schönen Strecken auch langsam fahren!

An Rhein und Ruhr

- Welche der folgenden Aussagen ist richtig?
  Bonn ist die
  a. Hauptstadt Nordrhein-Westfalens
  b. Hauptstadt der BRD
  c. ehemalige Hauptstadt der BRD.

1_Der „Kohlenpott" Deutschlands

Nordrhein-Westfalen ist das bevölkerungs-
reichste und das wirtschaftsstärkste Bundesland. Fast 18 Millionen Menschen leben
hier, vor allem im Zentrum des Landes, im
Ruhrgebiet. Dort reiht sich eine Großstadt
an die andere. Im traditionellen „Kohlenpott"
Deutschlands arbeiten nur noch wenige im
Bergbau, die chemische Industrie und die
großen Unternehmen der Energiewirtschaft
sind heute wichtiger.
Nordrhein-Westfalen ist auch ein grünes
Land mit viel Wald und Wasser(kraft). Viele
Seen sind durch Stauwerke entstanden oder
füllen die Löcher, die der Tagebau hinter-
lassen hat.
Die Landeshauptstadt Düsseldorf, Zentrum
von Kunst und Mode, liegt direkt am Rhein.
Hier „sitzen" zahlreiche internationale
Firmen. Die staatlichen und privaten
Universitäten und moderne Technologie-
zentren im Land sorgen für qualifizierte
Arbeitskräfte und das wissenschaftliche
„Know-how".

Von 1949 bis zur Wiedervereinigung war Bonn die Hauptstadt und bis 1999 Regierungs-sitz der BRD.

Wie die meisten Städte am Rhein wurde auch Köln, die größte Stadt in Nordrhein-Westfalen, von den Römern gegründet.

2_Im Berg arbeiten ◎ 47

Im 19. Jahrhundert kamen Millionen Menschen,
darunter viele aus den heute polnischen
Gebieten, ins Ruhrgebiet. Vater, Sohn
und Enkelsohn: Alle waren „Kumpel", das
heißt Bergarbeiter. Sie lebten in ärmlichen
Siedlungen im Schatten der Fördertürme und
waren stolz auf ihren Beruf. Aber immer mehr
Kohlengruben und Bergwerke schließen. Der
Urenkel kennt die harte Arbeit unter Tage nur
noch aus Erzählungen.

Auf einer Fahrt mit dem Schiff kann man das romantische Rheintal mit seinen alten Ritterburgen besonders gut kennen lernen.

3_Weinland im Südwesten

Rheinland-Pfalz ist berühmt für seine Weine. Zwei Drittel der deutschen Weinproduktion kommen aus den Weinbergen an den Flüssen Rhein, Mosel und Lahn. Im südlichen Teil des Bundeslandes ist das Klima so mild, dass dort Feigen, Zitronen und Tabak wachsen.

Städte wie Mainz, Trier und Koblenz erzählen von ihrer langen Geschichte seit der Römerzeit. In Speyer, Worms und Mainz stehen die großen Kaiserdome aus dem Mittelalter.

Die Hauptstadt von Rheinland-Pfalz ist Mainz. Ein Museum, ein Denkmal und der Name der Universität erinnern an den berühmtesten Sohn der Stadt: Johannes Gutenberg, Erfinder des Buchdrucks.

Neben dem Wein ist die chemische Industrie sehr wichtig für die Wirtschaft des Landes. Ludwigshafen ist der Hauptsitz des weltweit größten Chemiekonzerns BASF, der auch der größte Arbeitgeber der Region ist.

1 Drei große Städte im Ruhrgebiet heißen:
D--t-u-d, -ss-- und D---b-rg.

2 Das Wort „Kumpel" hat heute in der Umgangssprache eine spezielle Bedeutung. Welche?

3 **a.** Auf Seite 11 finden Sie weitere Informationen über Gutenberg. Fassen Sie alles in einem kurzen Porträt zusammen.
b. Wofür steht die Abkürzung BASF? Informieren Sie sich.

4 Woher hat das Saarland seinen Namen?

Die stillgelegte Eisenhütte Völklingen steht als Industriedenkmal auf der UNESCO-Liste.

4_Klein, aber europäisch ⑨ 48

An der Grenze zu Luxemburg und Frankreich liegt das Saarland. Saarbrücken ist die Hauptstadt und gleichzeitig die einzige Großstadt des kleinen Bundeslandes.

Das Land wurde 1920 und dann auch nach dem Zweiten Weltkrieg von Deutschland abgetrennt.

Frankreich wollte eine Wirtschaftsunion und die politische Unabhängigkeit des Gebiets. Erst 1957 wurde das Saarland wieder Teil der Bundesrepublik.

Wie das Ruhrgebiet verdankte das Saarland seinen wirtschaftlichen Aufstieg der Kohle in der Erde. Die Krise in der Montanindustrie hat das kleine Land hart getroffen. Aber die guten Verbindungen zu den europäischen Nachbarn, besonders zu Frankreich, sind ein wichtiges „Startkapital" für die Zukunft im vereinten Europa.

Frankfurt ist Deutschlands einzige Stadt mit „Skyline". Einen neuen Höhepunkt bildet mit 298 Metern das Haus der Commerzbank. Und die Euro-Hauptstadt will noch weiter nach oben!

Die hessische Landeshauptstadt Wiesbaden ist auch ein eleganter Kurort und berühmt für ihre Heilquellen.

In der Mitte

■ Ist die geografische Mitte Deutschlands auch das wirtschaftliche und kulturelle Zentrum des Landes?

1_An Rhein und Main

Hessen ist durch seine Wirtschaft eines der reicheren Bundesländer. Frankfurt am Main ist Sitz vieler Banken und der größten Börse Deutschlands. Der Frankfurter Flughafen ist der drittgrößte Europas und Arbeitsplatz für mehr als 65 000 Beschäftige. Auch kulturell hat die Stadt Goethes einiges zu bieten: das Museumsufer am Main, eine eigene Oper, renommierte Theater und Kunsthallen wie z. B. die Schirn mit Ausstellungen moderner Kunst.

Im Norden ist die Stadt Kassel Mittelpunkt des zweiten Wirtschaftszentrums in Hessen. Hier findet alle fünf Jahre die documenta statt. Seit 1955 kann man dort das Neueste aus der internationalen Kunst sehen.

In den ländlichen Gebieten zeigt das waldreiche Bundesland Hessen ein ganz anderes Gesicht. Die Menschen dort sprechen noch ihre lokalen Dialekte und haben viel Sinn für Tradition.

2_Das „grüne Herz"

Durch die Vereinigung Thüringen im Südwesten der früheren DDR in die Mitte Deutschlands gerückt. Der Thüringer Wald mit seinen Bergen (bis 984 m hoch) und den einsamen Orten in den Tälern ist das „grüne Herz" und ein beliebtes Touristenziel.

Thüringen braucht den Fremdenverkehr, denn Arbeitsplätze in Industrie und Landwirtschaft sind nach der Wende rar geworden.

Die Wartburg bei Eisenach ist sehenswert. Hier versteckte sich 1521 – 1522 der Kirchenreformator Martin Luther und übersetzte das Neue Testament. 1817 demonstrierten hier national-liberal gesinnte Studenten. Touristisch interessant sind auch die Städte Weimar und Jena. Die frühere Residenz- und Hauptstadt Weimar war um 1800 das Zentrum der deutschen Klassik. Wegen ihrer besseren Infrastruktur wurde aber 1990 Erfurt die neue Hauptstadt Thüringens.

Der Rennsteig, ein alter Handelsweg auf den Höhen des Thüringer Waldes, ist heute bei Wanderern und Skifahrern beliebt.

In Quedlinburg im Harz kann man das Mittelalter „live" erleben. Die kleine Stadt hat über 1200 Fachwerk-häuser aus sechs Jahrhunderten.

1 Warum wird Frankfurt am Main auch „Mainhattan" genannt?

2 Als „Weimarer Klassik" bezeichnet man die Zeit der intensiven und sehr produktiven Freundschaft von zwei großen deutschen Dichtern. Ein Tipp: Ihre Namen und weitere Informationen finden Sie auf Seite 49.

3 Das Fachwerk war vom Mittel-alter bis ins 19. Jh. in Deutsch-lands Städten und Dörfern die vorherrschende Bauweise. Welche Materialien wurden für Fachwerkhäuser benutzt?

4 Was ist ein Kurort? Geben Sie eine kurze Definition mit eigenen Worten.

3_An Elbe und Saale

Das Gebiet von Sachsen-Anhalt war das Kernland des mittel-alterlichen deutschen Reiches. Der Besucher findet dort noch viele Zeugnisse der Vergangenheit: Schlösser und Burgen, die Dome von Magdeburg und Naumburg und alte Fachwerkhäuser. Der Norden mit seinen fruchtbaren Böden ist das Zentrum der Landwirtschaft. Im Süden liegen große Industriegebiete mit Braunkohle- und Kaligruben und chemischen Fabriken. Hauptstadt von Sachsen-Anhalt ist Magdeburg an der Elbe. Die größte Stadt des Landes, Halle an der Saale, wurde reich durch die Salzgewinnung und berühmt durch die 1694 gegründete Universität. Die Händel-Festspiele erinnern jedes Jahr an den berühmten Komponisten aus Halle.

4_Zur Kur fahren ◎ 49

Ein Arzt kann seinen Patienten eine Kur verordnen. Aber auch für einen Wellness-Urlaub sind die über 300 Kurorte und Heilbäder in Deutschland ideal. Schon Kaiser und Könige ließen sich dort von ihren Krankheiten „kurieren". Kurorte haben ein gesundes Klima, eine schöne Umgebung und Thermal-quellen. Der Kurgast muss zwar Kurtaxe bezahlen, aber dafür ist das Kurkonzert im gepflegten Kurpark gratis!

Im Südosten

■ Welches Mittelgebirge grenzt Sachsen nach Süden hin ab?
Schauen Sie auf Seite 7 nach.

1_Innovativ und kreativ ◎ 50

Sachsen ist unter den neuen Bundesländern das bevölkerungs-
reichste Land und am stärksten industrialisiert. Die Industrie-
regionen um Chemnitz und Leipzig gehören zu den ältesten
Europas. Auch die deutsche Arbeiterbewegung wurde im 19. Jahrhundert in Sachsen „geboren".
Die größte Stadt des Landes ist Leipzig. Hier wurde und wird
gehandelt. Die Leipziger Messe ist ein wichtiger Treffpunkt vor
allem für Kontakte mit Osteuropa. Auch als Musikstadt ist Leipzig
weltbekannt: Johann Sebastian Bach arbeitete hier viele Jahre für
die Kirche als Musikdirektor, Komponist und Organist.
Die Landeshauptstadt Dresden ist mit ihren berühmten Barock-
bauten, Museen und Kunstsammlungen das kulturelle Zentrum
des Landes. In Meißen kann man die Staatliche Porzellan-
Manufaktur, die älteste Europas, besichtigen.

2_Kindheit in Dresden

In seinem Buch „Als ich ein kleiner Junge
war" erzählt der bekannte Autor Erich
Kästner (1899–1974) Kindern und Erwach-
senen von seiner Kindheit in Dresden.
„Wenn es zutreffen sollte, dass ich nicht nur
weiß, was schlimm und hässlich, sondern
auch, was schön ist, so verdanke ich diese
Gabe dem Glück in Dresden aufgewachsen
zu sein. […] Die katholische Hofkirche,
Georg Bährs Frauenkirche, der Zwinger, […]
und gar, von der Loschwitzhöhe aus, der
Blick auf die Silhouette der Stadt mit ihren
edlen, ehrwürdigen Türmen, […]. … die
Stadt Dresden gibt es nicht mehr. […]
Jahrhunderte hatten ihre unvergleichliche
Schönheit geschaffen. Ein paar Stunden
genügten, um sie vom Erdboden fortzu-
hexen."

Südlich von Dresden liegt auf beiden Seiten der Elbe die Sächsische Schweiz mit ihren bizarren Felsformationen.

1 Sammeln Sie Informationen über das Leben und Werk von J.S. Bach und schreiben sie eine kurze Biografie.

2 **a.** Kennen Sie andere Bücher von Erich Kästner?
b. Wann und wie wurde Dresden vom Erdboden „fortgehext"? Ist in Dresden tatsächlich nichts von den historischen Bauten erhalten? Lesen Sie auf Seite 48 nach.

3 Was verbinden Sie mit den Begriffen „Romantik" oder „romantisch"?

4 Warum gefällt Görlitz so vielen Rentnern?

3_Die sächsische Romantik

Das Böhmische Mittelgebirge, das Riesengebirge und die Gegend um das Elbsandsteingebirge zogen Landschaftsmaler wie Caspar David Friedrich an. Die Natur wurde ein sehr wichtiges Motiv in der Malerei der Romantik. Die Elbestadt Dresden war Anfang des 18. Jahrhunderts geistiges Zentrum für viele Künstler der Romantik. Die Dichter Ludwig Tieck, Novalis, Jean Paul und der Musiker-Dichter E.T.A. Hoffmann trafen hier zusammen. Die philosophischen Führer der Romantik, die Brüder Schlegel und Schelling, kamen zu Besuch, und Heinrich von Kleist wirkte bei der Kunstzeitschrift „Phoebus" mit. Carl Maria von Weber komponierte hier die erste romantische Oper, den „Freischütz". Fantasie, Gefühl und die Suche nach dem „Wunderbaren" kennzeichnen die Gedichte, Dramen, Märchen und Romane dieser Epoche.

4_Rentnerparadies Görlitz

„Also, wir sind aus Berlin hierher gekommen, kurz nachdem meine Frau in Rente gegangen ist. Görlitz ist eine ruhige Stadt, das Leben hier ist billiger als in Berlin, besonders die Mieten sind günstig. Uns gefällt die Lage der Stadt, so nah an Polen und Tschechien, und das Flair in der Innenstadt mit den alten Häusern. Hier gibt es auch tolle Kultur- und Freizeitangebote, gerade für ältere Menschen. Ich hab gehört, dass der Stadtrat jetzt richtig Werbung macht, damit noch mehr Rentner nach Görlitz kommen …"

Im Süden

■ Welche Unterschiede gibt es zwischen Nord- und Süddeutschland (geografisch, sprachlich, kulinarisch usw.)? Informationen dazu finden Sie z. B. auf den Seiten 7, 10 und 34.

1_High-Tech und Sommerfrische

Baden-Württemberg grenzt an Frankreich und die Schweiz und gehört zu den landschaftlich schönsten Regionen in Deutschland. Der Schwarzwald und der Bodensee im Süden sind beliebte Feriengebiete. An den Hängen der Täler wachsen Wein und Obst, denn das Klima ist mild und der Boden fruchtbar. Es ist aber auch ein hochindustrialisiertes Land mit dichtbesiedelten Wirtschaftszentren im Raum Mannheim-Karlsruhe und Stuttgart-Heilbronn. Viele Produkte „Made in Baden-Württemberg" werden in die ganze Welt exportiert, z. B. Autos (Mercedes, Porsche) aus der Landeshauptstadt Stuttgart. Zwischen 1804 und 1808 arbeiteten die „Heidelberger Romantiker" Brentano, Arnim und Görres in der malerischen alten Universitätsstadt Heidelberg. Sie wurde zu einem der meistbesuchten touristischen Ziele in Deutschland. Auch Freiburg im Südschwarzwald mit seinem mittelalterlichen Münster (Klosterkirche) ist sehenswert. Karlsruhe ist das Zentrum des badischen Landesteils und Sitz von Bundesgerichtshof und Bundesverfassungsgericht, den höchsten deutschen Gerichten.

2_Die Schwaben

Die Schwaben leben in Bayern und Baden-Württemberg und gehören zur Volksgruppe der Alemannen. Jeder Deutsche erkennt die Schwaben an ihrem typischen Dialekt, sogar wenn sie Hochdeutsch sprechen. „Schaffe, spare, Häusle baue" – von den Schwaben sagt man, dass sie sehr fleißig, sparsam und ordnungsliebend sind. Berühmte Schwaben haben auch an der Entwicklung des Fahrrads und des Automobils mitgewirkt.

Ein beliebtes Schwarzwald-Souvenir sind die seit Mitte des 18. Jahrhunderts bekannten Kuckucksuhren.

Vom „Philosophenweg" hat man den besten Blick auf Heidelberg mit seinen Neckarbrücken und dem imposanten Schloss.

3_Der Freistaat Bayern 🔊 51

Bayern ist flächenmäßig das größte Bundesland und war lange Zeit Agrarland. Die Land- und Ernährungswirtschaft zählt auch heute noch zu den wichtigsten Branchen im Freistaat. In den Jahren nach dem Krieg hat aber sehr schnell die Industrie die erste Stelle eingenommen. Auch der Tourismus bringt dem Land Geld und Arbeitsplätze. Wirtschaftliche Zentren sind neben München die Städte Nürnberg und Augsburg.

München, die Landeshauptstadt an der Isar, ist wegen ihres südlichen Flairs und der landschaftlich schönen Umgebung ein beliebter Wohnort. Viele verbinden München mit dem FC Bayern, Biergärten und dem berühmten Oktoberfest, aber Galerien, Museen, Straßencafés und Bauwerke aller Stilepochen zeigen, dass die Stadt noch mehr zu bieten hat.

Bayern hat eine traditionsreiche Geschichte. Sie zeigt sich auch in den prunkvollen Bauten der Kirchen und der bayerischen Könige.

1 Viele Ausländer haben schon vom deutschen Schwarzwald gehört. Haben Sie eine Idee, warum diese Region so bekannt ist?

2 „Schwaben" ist in einigen Ländern auch ein Name für die deutschstämmige Minderheit. Leben in Ihrem Land auch Menschen, die ursprünglich aus Deutschland gekommen sind?

3 Was ist ein Biergarten?

4 Im 16. Jh. hat sich ein berühmter Mann eine Zeit auf der Wartburg aufgehalten. Wer war es? (Die Lösung finden Sie auf S. 70.)

5 Welche (Bundes)Länder haben Anteil am Bodensee? Schauen Sie auf S. 61 nach.

Ein traditionelles Kleidungsstück der Bayern, die handgemachte echte „Lederhosn", ist „in" und das nicht nur in Bayern.

4_Ein bayerisches Märchen

Eine fantastische Märchenwelt zeigt sich in den Schlössern des bayerischen Königs Ludwig II.: Herrenchiemsee, Neuschwanstein und Linderhof entführten den König in eine magische, irreale Welt, die der Kunst und der Musik Wagners gewidmet war.

Schloss Neuschwanstein im Allgäu wurde nach dem Modell der Thüringer Wartburg erbaut.

5_Ausflug in die Natur

Bayern, das Land der Berge und Seen, grenzt im Süden an die Alpen. Von Garmisch-Partenkirchen, dem bekannten deutschen Wintersportort, kann man den höchsten Gipfel der deutschen Alpen erreichen: die Zugspitze mit 2963 Metern. Die Alpen und das Alpenvorland sind reich an schönen Seen: Ammer-, Starnberger-, Chiem-, Tegern- und Walchensee sind nur einige davon. Bei Lindau berührt Bayern den Bodensee. Im Norden Bayerns sind die Berge nicht so hoch. Das Fichtelgebirge ist ein Mittelgebirge mit viel Wald, Felslabyrinthen und Steingärten. Auch der Bayerische Wald zählt zu den Mittelgebirgen, wo im Erdaltertum (Paläozoikum) die Berge höher waren als in den heutigen Alpen!

An der Donau

Eine Donaufahrt

„An der schönen, blauen Donau" heißt ein bekannter Walzer von Johann Strauß Sohn.
Die viel besungene Donau ist Österreichs wichtigster Fluss. Sie dient als Wasserweg und
produziert Elektrizität – ungefähr ein Fünftel des österreichischen Stroms kommt aus
Donaukraftwerken. An den Ufern der Donau liegen Vergangenheit und Gegenwart
nah beieinander. Hier einige sehenswerte Stationen.

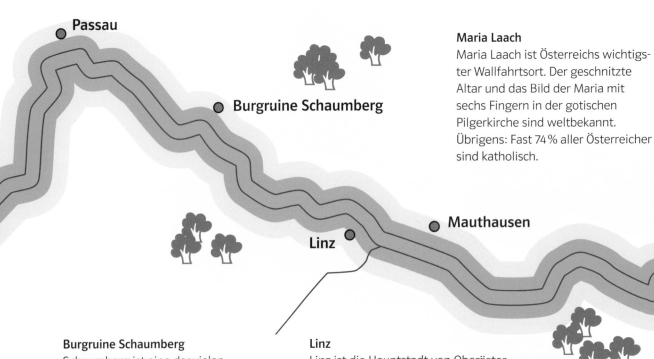

Passau

Burgruine Schaumberg

Maria Laach
Maria Laach ist Österreichs wichtigster Wallfahrtsort. Der geschnitzte
Altar und das Bild der Maria mit
sechs Fingern in der gotischen
Pilgerkirche sind weltbekannt.
Übrigens: Fast 74 % aller Österreicher
sind katholisch.

Mauthausen

Linz

Burgruine Schaumberg

Schaumberg ist eine der vielen
Burgen und Burgruinen, die
auf beiden Seiten die Donau
bewachen. Hier saßen die
adligen Herren und kassierten
Zoll von den Handelsschiffen.

Linz

Linz ist die Hauptstadt von Oberösterreich und die drittgrößte Stadt in ganz
Österreich. Von der Donau aus sieht man
Zeugen der Vergangenheit und Gegenwart: die barocke Altstadt und die riesigen
Anlagen der Stahl- und Chemieindustrie.

Burgruine Schaumberg

Linz

Wallfahrtskirche Maria Laach

Dürnstein

Nationalpark Donau-Auen

Dürnstein

Bei Dürnstein in der Wachau sieht die Donau-Landschaft besonders schön aus. Diese Gegend ist reich an Wein, Wald und Burgen.

Hainburg

Südöstlich von Wien liegen die Donau-Auen. Eine so große „Wasser-Landschaft" gibt es nur einmal in Europa. Sie ist als Nationalpark besonders geschützt. Die Donau mit ihren Seitenarmen und Auwäldern ist auch von hoher ökologischer Bedeutung: Zahlreiche seltene Tier- und Pflanzenarten sind hier beheimatet. Nicht weit von Hainburg verlässt die Donau nach ungefähr 350 Kilometern Österreich und heißt nun „Dunaj".

Dürnstein

Maria Laach

AKW Zwentendorf

Melk

Klosterneuburg

Der Wienerwald

Wien

Kahlenberg

Hainburg

AKW Zwentendorf

Hier erblickt der Donaureisende ein besonderes Zeugnis der jüngeren Geschichte: die Schornsteine des Atomkraftwerks Zwentendorf. Bürgerprotest verhinderte 1978, dass die fertige Anlage in Betrieb ging. Seitdem hat Österreich ein Atomsperrgesetz, das den Bau von Atomanlagen verbietet.

Kahlenberg

Vom Kahlenberg (483 m) hat man eine wunderbare Aussicht auf Wien und das Wiener Becken. Der Berg spielte im Jahr 1683, als Wien von den Türken befreit wurde, eine wichtige strategische Rolle.

AKW Zwentendorf

Aussicht vom Kahlenberg auf Wien

1 Warum ist die Donau für Österreich so wichtig? Hat Ihr Land auch einen größeren Fluss?

2 Wo entspringt die Donau? Wo mündet sie ins Meer?

3 Was meinen Sie, wie lang ist die Donau insgesamt:
   a. 1850 km?   b. 2275 km?   c. 2845 km?

Der Stephansdom ist seit dem Mittelalter das Herzstück des Wiener Stadtzentrums.

Das fast 65 Meter hohe Riesenrad im Prater ist seit 1897 eines der Wahrzeichen Wiens. Berühmt wurde es auch durch Carol Reeds Film „Der dritte Mann".

Im Kaffeehaus kann man in Ruhe Zeitung lesen, philosophieren oder Schach spielen.

Das Zentrum Wien

- Man sagt, Wien und die Wiener hätten ein besonderes „Flair".
  Welche Vorstellung haben Sie davon?

1_Kaffeehaus statt Wohnzimmer ◎ 52

Von den Wienern sagt man, dass sie nicht gern zu Hause sind, sondern am liebsten im Kaffeehaus sitzen. Wer dort allerdings einfach einen Kaffee bestellt, bekommt Probleme. Es gibt ein riesiges Angebot und die vielen Namen für die verschiedenen Zubereitungsarten sind eine Wissenschaft für sich. Ein „Einspänner" z. B. ist ein Espresso im Glas mit Schlagsahne („Schlagobers" sagen die Österreicher). Ein „kleiner Brauner" ist eine kleine Tasse Kaffee mit ein bisschen Milch und eine „Melange" ist ein Milchkaffee. Und natürlich gibt es in einem echten Wiener Kaffeehaus ein Glas Wasser dazu und manchmal auch einen „grantigen" (grantig = schlecht gelaunt, unfreundlich) Kellner. Der heißt hier übrigens „Herr Ober".

2_Die Habsburger

Die Stadt Wien war mehr als 600 Jahre lang das Zentrum der Habsburger Monarchie. Von hier aus regierten Herrscher wie Maria Theresia und Franz Joseph ihr riesiges Reich.
Die Habsburger haben das Gesicht der Stadt geformt. Der Stephansdom, die Hofburg, das Schloss Schönbrunn und viele andere Baudenkmäler erinnern an die große Zeit der Dynastie. In den Museen und Schatzkammern kann man Bilder, Kronjuwelen und andere Kostbarkeiten besichtigen. Erst 1918 nach dem Ersten Weltkrieg ging die Ära der Habsburger zu Ende. Aber in Wien ist ihr Erbe bis heute lebendig.

Die Wiener Hofburg war das Machtzentrum des Habsburger Reichs bis 1918. Heute befinden sich dort unter anderem die Amtsräume des Bundespräsidenten und die Nationalbibliothek.

Dieses Frauenportrait des Malers Gustav Klimt ist zur Zeit eines der teuersten Gemälde der Welt.

Das Majolikahaus in Wien und das Porträt von Klimt zeugen vom Wiener Jugendstil.

3_Wien tanzt und singt

In den Monaten Januar und Februar ist in Wien Ballsaison: Opernball, Feuerwehrball, Studentenball … und alle tanzen Walzer – auch links herum. Der Wiener Kongress zu Beginn des 19. Jahrhunderts brachte den Tanz in Mode.

Auch der Chor der Wiener Sängerknaben hat eine lange Tradition. Die Ausbildung im Internat und die vielen Auftritte sind harte Arbeit für die Jungen. Mit dem Stimmbruch – also mit ungefähr zwölf Jahren – ist ihre Zeit im Chor beendet. Später werden aber viele ehemalige Sängerknaben Berufsmusiker.

4_Sigmund Freud ◎53

Über fünf Jahrzehnte lebte und arbeitete der Psychoanalytiker Sigmund Freud (1856–1939) in Wien. Seine Wohnung in der Berggasse ist jetzt ein Museum. Freuds psychologische Theorien waren damals ein Skandal. Heute gehören seine Einsichten zur Sexualität und zum Unbewussten zur Allgemeinbildung. Die berühmte Couch, auf die Freud seine Patienten legte, steht aber nicht in Wien, sondern in London. Dorthin musste der jüdische Wissenschaftler, verfolgt von den Nazis, 1938 emigrieren.

1 Wie trinken Sie Ihren Kaffee am liebsten?

2 Welche berühmten Pferde sieht man in der Spanischen Hofreitschule der Wiener Hofburg? Schauen Sie auf S. 86 nach.

3 Haben Sie einen Tanzkurs besucht? Welche Standardtänze beherrschen Sie?

4 Warum musste Sigmund Freud nach England ins Exil gehen? Wie lange hat er dort gelebt?

5 Was ist typisch für den Jugendstil?

4_Jugendstil – Wiener Art Nouveau

In Wien wurde 1897 der Jugendstil durch die Künstler der Sezession verbreitet. Zu ihren berühmtesten Vertretern gehörten der Maler Gustav Klimt, der Designer Koloman Moser und die Architekten Otto Wagner und Josef Hoffmann. Die Suche nach neuen Formen, reiche Ornamentik und die Betonung von Linien und Flächen sind bezeichnend für diese Kunstrichtung.

Nieder- und Oberösterreich

- Wie viele Bundesländer hat Österreich insgesamt?
  Schauen Sie sich die Karte auf Seite 61 an.

1_Das Land um Wien 🔊 54

Niederösterreich ist das größte Bundesland und umschließt die Bundeshauptstadt Wien. Im Norden liegen das Wald- und das Weinviertel, im Süden die fruchtbare Donauebene und das Alpenvorland. Die Region war schon in prähistorischer Zeit besiedelt und gilt als das Kernland Österreichs. Auch der Weinbau hat hier Tradition: 60 % aller österreichischen Weine kommen aus Niederösterreich, z. B. der *Grüne Veltliner*, ein leichter und trockener Weißwein. Neben der Landwirtschaft sind die Erdöl- und Erdgasfelder nordöstlich von Wien ein wichtiger Wirtschaftsfaktor.
Seit 1986 ist St. Pölten die Landeshauptstadt. Vorher war Wien auch das Verwaltungszentrum für Niederösterreich.

Baden bei Wien hat eine hübsche Altstadt

2_Das Weinviertel

Im Nordosten Niederösterreichs liegt das Weinviertel. Zwischen den vielen Weinbergen, die ihm seinen Namen gegeben haben, erstrecken sich weite Getreide- und Rübenfelder. Der Boden und das milde Klima dort sind besonders günstig für den Weinbau. In der zweiten Hälfte des 19. Jahrhunderts wurden fast alle Weinstöcke durch Schädlinge zerstört. Die österreichischen Weinbauern mussten wieder ganz von vorn anfangen. Zwei Drittel der heute angebauten Weine sind weiße Qualitätsweine. Eine Besonderheit dieser alten Weinkultur im Weinviertel sind die Kellergassen, wo der Wein gepresst und unter den kleinen Häusern gelagert wird. In Niederösterreich gibt es mehr als tausend dieser alten Kellergassen.

Der Anblick der Salinenstadt Hallstatt vom gleichnamigen See aus ist bekannt. Die Region gehört heute zum UNESCO Natur- und Weltkulturerbe.

Die Kellergassen sehen aus wie kleine Dörfer neben den Weinorten. Dort „wohnen" aber keine Menschen, sondern die lokalen Weine.

3_Modern und prähistorisch

Oberösterreich erstreckt sich zwischen dem Böhmerwald im Norden und dem Dachsteingebirge im Süden. Das viertgrößte Bundesland ist wirtschaftlich sehr stark. Die Landwirtschaft ist gut entwickelt und in den Städten Linz, Steyr und Wels konzentriert sich die Industrie, vor allem Stahl- und Chemiewerke.

Linz, die Hauptstadt Oberösterreichs, profitierte schon im Mittelalter von der günstigen Lage am Schnittpunkt europäischer Handelswege. Aber die Geschichte der Region reicht viel weiter zurück. Im Salzbergwerk bei Hallstatt fanden 1734 Bergleute einen gut konservierten Leichnam. Dieser „Mann im Salz" gehörte zu einem Volk, das 800 bis 400 vor Christus hier lebte und arbeitete. Die Fundstelle hat einer ganzen Epoche der Menschheitsgeschichte ihren Namen gegeben, der Hallstattzeit.

Franz Joseph I. und „Sissi".

1 Man sagt, Niederösterreich sei das „Kernland" Österreichs. Bedeutet das:
a. Niederösterreich liegt in der Mitte des Landes?
b. Hier siedelten die ersten Bewohner des Landes?
c. In Niederösterreich haben die Weintrauben besonders viele Kerne?

2 Gibt es in Ihrem Land auch eine Weinbauregion?

3 Welche Handelswege führten früher wohl durch Linz?

4 Wie lange dauerte ungefähr die Zeit der Habsburger? Informieren Sie sich auf Seite 78.

4_Sommerfrische des Kaisers ◎ 55

Tausende von Touristen besichtigen jedes Jahr die Kaiservilla in dem Kurort Bad Ischl. Hier verbrachte der österreichische Kaiser und vorletzte Habsburger Franz Joseph I. regelmäßig seinen Sommerurlaub. In Bad Ischl lernte er auch die damals 15-jährige Elisabeth („Sisi") kennen. Zwei Jahre später heiratete der Kaiser sie, aber ganz anders als in den bekannten „Sissi"-Filmen war die echte Elisabeth eine exzentrische und ruhelose Frau. Sie flüchtete vor ihrem arbeitswütigen Ehemann und dem höfischen Leben und ging auf Reisen. 1898 wurde sie von einem italienischen Anarchisten ermordet.

In der Kaiservilla erlebte Franz Joseph den Beginn des Ersten Weltkrieges, aber nicht mehr das Ende des Habsburger Reichs. Er starb 1916.

Vorarlberg und Tirol

■ Wie hoch ist der Arlberg? Und der Brenner in Tirol? Schauen Sie auf S. 7 nach.

1_Vom Bodensee bergauf

Vorarlberg ist das westlichste und zweit-kleinste Bundesland nach Wien. Die Verbindungen zu den Nachbarländern – Deutschland, Liechtenstein und Schweiz – waren schon immer von kultureller, wirtschaftlicher und sprachlicher Bedeutung: Die Vorarlberger sprechen alemannischen Dialekt. Ungefähr zwei Drittel der Bevölkerung leben im Rheintal. Nach Wien und dem Wiener Umland ist Vorarlberg das am stärksten industri-alisierte Bundesland. Trotzdem haben viele Berufstätige ihren Arbeitsplatz in der Schweiz: Die Löhne dort sind höher. Vorarlberg hat vieles zu bieten: süd-ländische Atmosphäre am Bodensee und im Rheintal, waldreiche Mittelgebirge und über 3000 m hohe Berge an der Schweizer Grenze.

Vorarlbergs Haupt-stadt Bregenz liegt direkt am Bodensee. Eine besondere Attraktion sind die Bregenzer Festspiele mit der Bühne im See.

Innsbruck, die Hauptstadt des Bun-deslandes Tirol, war zweimal Schauplatz der Olympischen Winterspiele.

2_Skigeschichte ◎ 56

Das Arlbergmassiv hat dem Land „vor dem Arlberg" seinen Namen gegeben. Dort wurde 1890, nahe der Grenze zu Tirol, der Skipionier Hannes Schneider geboren. Er entwickelte als erster Ski-lehrer Österreichs die „Arlberg-Technik", die Grundlage des modernen Skilaufs. Die Profis und Amateure von heute können über die damals übliche Kleidung und Fahrtechnik allerdings nur lächeln.
Die ersten Skibretter waren natürlich aus Holz und reine Handarbeit! Wer damit ins Tal sausen wollte, musste vor allem viel Mut beweisen. Um die Skier einzufetten, wurden früher gesalzene Heringe benutzt. Und die erste Sprungschanze war angeb-lich ein sechs Meter hoher Misthaufen!

Weibliche Skifahrer waren Anfang der 30er-Jahre noch selten.

3_Wer war Andreas Hofer?

Plätze und Straßen tragen seinen Namen, Denkmäler und Ausstellungen erinnern an ihn, den großen Volkshelden der Tiroler: Andreas Hofer. Als Anführer der Freiheitskämpfer besiegte er 1809 am Berg Isel die Bayern und Franzosen und wurde für kurze Zeit Regent von Tirol. 1810 wurde er durch Verrat gefangen genommen und auf Befehl Napoleons erschossen. In der Hofkirche in Innsbruck ist er begraben.

1 An welche Staaten grenzt das Bundesland Vorarlberg? Die Karte auf S. 61 zeigt es Ihnen.

2 **a.** Skifahren ist nur eine von vielen Wintersportarten. Nennen Sie einige andere.
b. Was würden Sie am liebsten im Winterurlaub in den Bergen machen?

3 Hat Ihr Land auch einen regionalen oder nationalen Volkshelden? Berichten Sie.

4 Wie finden Sie die Idee, Tirol zu untertunneln? Machen Sie Vorschläge, wie man das Transitproblem anders lösen könnte.

5 Wer ist älter: der „Mann im Eis" oder der „Mann im Salz" (S. 81)?

Die 190 Meter hohe und 820 Meter lange Europabrücke an der Brennerautobahn gilt als technische Meisterleistung.

5_Der Mann im Eis

1991 wurde im Ötztal in Tirol genau an der Grenze zu Italien eine Gletschermumie entdeckt. Alter: 5300 Jahre! Nationalität: Österreicher oder Italiener? Inzwischen wird „Ötzi" im Museum von Bozen in Südtirol (Italien) ausgestellt.

4_Alle kennen Tirol ⊚ 57

Nach dem Ersten Weltkrieg musste Österreich Südtirol an Italien abtreten. Seitdem besteht das Bundesland Tirol aus zwei Teilen, die durch hohe Berge voneinander getrennt sind. Das kleinere Osttirol hat deshalb eine engere Bindung an das Nachbarland Kärnten.
Tirol ist eines der beliebtesten Reiseziele in Europa. Keine andere Region in Österreich hat so viele Fremdenbetten, so viele Skilifte und Skipisten und so viele Wanderwege (15 000 km). Die Brennerstraße durch Tirol ist seit der Römerzeit eine der wichtigsten Strecken über die Alpen. Der Transitverkehr bringt dem Land Profit, aber auch Lärm und Abgase. Umweltschützer wollen deshalb, dass ein Tunnel unter ganz Tirol gebaut wird. Diese ziemlich radikale Lösung wäre aber sehr teuer.

Die Altstadt von Salzburg mit ihren mittelalterlichen Gassen und den barocken Kirchenplätzen gehört zu den besonders geschützten UNESCO-Objekten.

Der Wörthersee ist Kärntens größter Badesee und ein beliebtes Urlaubsgebiet. Im Sommer wird das Wasser bis zu 28°C warm.

Salzburg und Kärnten

■ Der Abbau von Salz hatte früher im Salzburger Land und anderen Regionen Österreichs große wirtschaftliche Bedeutung. Salz wurde auch „weißes Gold" genannt. Warum?

1_Das Land Salzburg

Salzburg ist nicht nur die Stadt, auch das Bundesland heißt so. Stadt und Land haben den Namen von den vielen Salzlagern, die jahrhundertelang Macht und Reichtum der Region sicherten.

Heute leben zwei Drittel der Bevölkerung im nördlichen Landesteil, v.a. im Großraum Salzburg, wo es die meisten Arbeitsplätze gibt. In der Landwirtschaft spielen Vieh- und Milchwirtschaft eine große Rolle, mehr als 80% der Betriebe sind Bergbauern. In der Europa-Sportregion um den Zeller See ist das Freizeitangebot für Sommer- und Winterurlauber riesig. Auch der höchste Berg Österreichs liegt in der Nähe: der Großglockner mit 3798 Metern. Viele Touristen nutzen die Hochalpenstraße und fahren bequem mit Auto oder Bus bis auf eine Höhe von über 2500 Metern. Von dort genießen sie den einmaligen Panoramablick über viele „3000er".

Einige der großen Salzbergwerke sind heute touristische Attraktionen – besonders für Familien mit Kindern.

2_Die Mozartstadt ◎58

Fast ein Drittel der Einwohner des Landes Salzburg lebt in der Hauptstadt Salzburg. Im Sommer ist die Stadt von Touristen überfüllt und alle besuchen zuerst das berühmteste Haus in der Altstadt. In der Getreidegasse 9 wurde 1756 Wolfgang Amadeus Mozart geboren. Der Komponist, der seine letzten zehn Lebensjahre in Wien verbrachte und von Salzburg nichts mehr wissen wollte, ist für die Stadt eine wahre Goldgrube. Mozart-Wochen, Mozart-Ausstellungen, die Festspiele, Mozartkugeln, Mozart-Kitsch und -Souvenirs verkaufen sich gut.

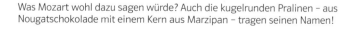

Was Mozart wohl dazu sagen würde? Auch die kugelrunden Pralinen – aus Nougatschokolade mit einem Kern aus Marzipan – tragen seinen Namen!

3_Land der Seen

Kärnten ist Österreichs südlichstes Bundesland und rundum von Bergen umgeben. In Kärnten gibt es besonders viele Seen, mehr als 1200. Für das „trinkbare", also sehr saubere Wasser in den Badeseen bekam das Land den Europäischen Umweltpreis. Wegen der geografischen Lage und des milden Klimas nennt man Kärnten auch den „Südbalkon der Alpen": Auch von den Bewohnern sagt man, dass sie eine mediterrane, weltoffene Lebensart haben.
Die slowenische Minderheit im Süden des Landes wünscht sich allerdings mehr Toleranz vonseiten der deutschsprachigen Bevölkerung. Zwischen den Volksgruppen gibt es immer wieder Konflikte.

1 Welche Sport- und Freizeitaktivitäten gehören zum Angebot der Salzburger Ferienregionen?

2 Was wissen Sie über das Leben und Werk des Musikers und Komponisten Mozart? Tragen Sie alle Informationen zusammen und schreiben Sie ein kurzes Porträt.

3 Gibt es in Ihrem Land auch einen großen See oder ein Gebiet mit vielen Seen?

4 Kennen Sie noch mehr Schriftsteller aus Österreich? Oder Maler, Musiker, Schauspieler, …? Sammeln Sie Informationen im Kurs.

5 Lesen Sie auf Seite 53 über Ingeborg Bachmann.

4_Zwei Autoren aus Kärnten

Peter Turrini (geb. 1944) wuchs in Maria Saal in Kärnten auf. Seine weltweit gespielten Theaterstücke sind sehr provokant, sie orientieren sich am Volkstheater und sind teilweise im Dialekt geschrieben. Außerdem verfasst Turrini Drehbücher, Gedichte und (politische) Aufsätze.
Peter Handke, 1942 geboren, kommt aus einer Kleinbauernfamilie aus Kärnten und schreibt Dramen, Romane sowie Filmbücher wie z. B. das Drehbuch zu Wim Wenders Film „Der Himmel über Berlin". In dem Buch „Wunschloses Unglück" beschreibt Handke das arbeitsreiche, unfreie und meistens freudlose Leben seiner Mutter.

Peter Turrini und Peter Handke

5_Treffpunkt der Literatur

Klagenfurt ist Kärntens Hauptstadt und touristischer Ausgangspunkt für Ausflüge nach Slowenien und Italien.
Einmal im Jahr ist Klagenfurt Schauplatz der Tage der deutschsprachigen Literatur. Seit 1977 findet dort ein Wettbewerb für erzählende Prosa statt. Der Sieger bekommt den Ingeborg-Bachmann-Preis. Aber nicht alle Schriftsteller folgen der Einladung nach Klagenfurt, denn die Prozedur ist hart. Die Texte werden dem Publikum vorgelesen und die Autoren müssen sich eine öffentliche Sofortkritik gefallen lassen. Die Preise und Stipendien sind vor allem für junge, unbekannte Schriftsteller eine große „Starthilfe".

Steiermark und Burgenland

■ An welche Nachbarländer Österreichs grenzen die Bundesländer Steiermark und Burgenland?

1_Die grüne Mark

Die Steiermark im Südosten Österreichs ist das zweitgrößte Bundesland der Alpenrepublik. Die Hauptstadt Graz ist das kulturelle und wirtschaftliche Zentrum und profitiert von der Öffnung der Grenzen im Osten.

Größter Arbeitgeber im Land ist die Industrie, z. B. der Auto-Cluster in und um Graz. Die „eherne" (ehern = eisern) Mark ist traditionell ein Bergbauland. Auch ein Großteil der österreichischen Holz- und Papierstoffe wird hier produziert. In den abgelegenen Bergdörfern gibt es immer weniger Arbeitsmöglichkeiten. Oft bleiben dort nur die Alten zurück.

Grün heißt die Mark, weil 61 % der Fläche mit Wald bedeckt sind und ein weiteres Viertel von Weiden, Wiesen und Gartenland. Die Steiermark ist ein Land mit ganz verschiedenen Landschaftsformen. Auf den Gletschern im Nordwesten kann man sogar im Sommer Ski laufen. Auch im hügeligen Weinland im Süden der Steiermark macht man gern Ferien.

2_Der Waldbauernbub

Peter Rosegger war der Sohn eines armen Bergbauern. Er hat den größten Teil seines Lebens (1843 – 1918) in der Obersteiermark verbracht. Mit seinen Erzählungen vom einfachen Leben der Bauern wurde er bald ein beliebter Volksschriftsteller. „Als ich noch der Waldbauernbub war " heißt sein bekanntestes Buch. In seinem liebevoll restaurierten Geburtshaus fühlt sich der Besucher in die Atmosphäre seiner Geschichten zurückversetzt.

In der Steiermark, in Piber, werden heute noch die schönen Lipizzanerpferde gezüchtet. Die besten Tiere werden in der Hofburg in Wien für die klassische Reitkunst ausgebildet.

Der Steireranzug war ursprünglich die Kleidung der Jäger in der Steiermark. Traditionalisten tragen den Steireranzug heute auch anstelle des normalen Straßenanzugs im Alltag.

3_Grenzland im Osten

Das Burgenland war bis in die Gegenwart umkämpftes Grenzland. Erst 1921 kam das Burgenland als deutschsprachiges Gebiet Westungarns zu Österreich.

Im Norden beginnt die ebene Puszta-Landschaft, die bis weit nach Ungarn reicht. Im Süden ist das Land hügelig und waldreich. In dem warmen Klima wachsen gute Weine und südliche Gemüse- und Obstsorten wie Auberginen, Paprika und Feigen.

Von der Landwirtschaft können die Burgenländer aber nicht leben. Bis in die 50er-Jahre mussten viele Bewohner der Region auswandern, vor allem in die USA und nach Kanada. Heute „wandern" viele arbeitsfähige Männer nach Wien und sind nur am Wochenende zu Hause bei ihren Familien.

1 Haben Sie eine Idee, was ein „Auto-Cluster" ist?

2 Peter Rosegger hatte nie richtigen Schulunterricht. Er bildete sich autodidaktisch weiter. Was ist ein Autodidakt?

3 **a.** Seit wann gehört das Burgenland zu Österreich?
b. Betrachten Sie die Form des Burgenlandes auf S. 61. Was fällt Ihnen auf?

4 Wissen Sie, wer die Melodie der Nationalhymne Ihres Landes komponiert hat?

4_Joseph Haydn ◎ 59

Fast 30 Jahre lang war der Komponist Joseph Haydn (1732 – 1809) Kapellmeister am Hof der Fürsten Esterházy in Eisenstadt. Richtig bekannt wurde der einstige Wiener Sängerknabe erst ziemlich spät. Auf seinen Konzertreisen nach London 1790 und 1794 wurde er begeistert gefeiert. Sein wohl bekanntestes Werk ist das Oratorium „Die Schöpfung". Auch die Melodie der deutschen Nationalhymne stammt von Haydn.

Der Neusiedler See im Burgenland ist einmalig in Mitteleuropa. Er ist nur ein bis zwei Meter tief und bietet Lebensraum für viele geschützte Vogelarten und Wasserpflanzen.

Im 17. und 18. Jahrhundert, zur Zeit der Fürsten Esterházy, war Eisenstadt das geistige und kulturelle Zentrum Westungarns. Es ist jetzt die kleinste Landeshauptstadt Österreichs.

Joseph Haydn

In der Schweiz

Schweiz aktuell

■ Das Bild, das Ausländer von der Schweiz haben, ist oft von Klischees bestimmt. Welche kennen Sie?

1_Mitten in Europa ◎60

Die Schweiz liegt mitten in Europa, aber sie unterscheidet sich sehr von ihren Nachbarn. Die Schweiz ist ein Land der Vielfalt und der Gegensätze. In der Natur wechseln Berge – gut die Hälfte des Landes liegt über 1000 m hoch – und Täler, Hügel und Ebenen. Nur etwa sechs Prozent der gesamten Fläche der Schweiz sind bewohnt, besonders das Mittelland zwischen Genfersee und Bodensee ist dichter besiedelt.

Eigentlich ist die Schweiz gar kein „normaler" Nationalstaat. In dem roten Pass mit dem weißen Kreuz steht „Schweizerische Eidgenossenschaft" (auf Lateinisch: Confoederatio Helvetica). Die Konföderation besteht aus 26 Kantonen, die alle ein eigenes Parlament und sehr viele Rechte haben. Die meisten Schweizer fühlen sich in erster Linie ihrem Kanton und ihrer Heimatgemeinde zugehörig. Kultur und Mentalität in den einzelnen Regionen sind sehr unterschiedlich.

Das Matterhorn lockt mit seinen 4477 m Höhe Bergsteiger aus aller Welt an.

2_Mehrsprachige Schweiz

Offiziell hat die Schweiz vier Landessprachen, aber dazu kommen zahlreiche Dialekte. In der deutschsprachigen Schweiz wird Hochdeutsch fast nur als Schriftsprache gebraucht. Gesprochen wird Schwyzerdütsch.

Die Bewohner der Westschweiz sprechen zwar Französisch, aber etwas anders als in Paris. Einige französische Wörter gehören auch zum festen Wortschatz der Deutschschweizer.

Das Tessin südlich der Alpen ist der italienische Kanton der Schweiz; Landessprache und Lebensweise bezeugen dies.

In Teilen des Kantons Graubünden wird die vierte Nationalsprache der Schweiz gesprochen: Rätoromanisch. Nur 0,5 Prozent der Schweizer benutzen heute noch diese seltene Sprache. Sie entstand aus einer Vermischung des Lateins der Römer mit der Sprache der einheimischen Alpenbewohner.

Deutsch
63,7%

Rätoromanisch
0,5%

Italienisch
6,5%

Französisch
20,4%

Historische Uhren wie am Zytgloggeturm in Bern sind in der Schweiz verbreitet.

Die kulturellen und sprachlichen Unterschiede schaffen Grenzen innerhalb des Landes. Sie bieten aber auch die Chance zum Austausch.

3_Land der Tunnel ⓒ 61

Unter den Schweizer Bergen laufen ungefähr 750 Tunnel für die Bahn und zahllose für Autostraßen.

Die genaue Zahl der „geheimen" Tunnel ist nicht bekannt: Sie gehören zu den vielen unterirdischen Festungen und Schutzanlagen des Militärs.

Wege über die Berge gab und gibt es, aber die ersten Tunnel durch die Berge bauten Pioniere gegen Ende des 19. Jahrhunderts. Der ca. 15 km lange Eisenbahntunnel unter dem Bergmassiv des Gotthard war 1882 fertig. Der Bau dauerte zehn Jahre. Der neue Gotthard Basistunnel soll sogar 57 km lang werden!

Auch das Wasser der Stauseen in den Bergen läuft durch Tunnel. 52 Prozent der Elektrizität in der Schweiz werden aus Wasserkraft gewonnen. Das Land ist durchlöchert wie ein Schweizer Käse!

1 Mit welchen anderen Staaten hat die Schweiz gemeinsame Grenzen? Schauen Sie auf S. 7 oder S. 61 nach.

2 **a.** In der Schweiz sagt man zu der Hauptstadt „Bundesstadt". Wie heißt sie? Liegt sie im deutsch- oder im französischsprachigen Teil des Landes?
b. Was meinen Sie, lernen alle Schweizer die drei Landessprachen, die nicht ihre Muttersprache sind?

3 Wie lang ist der längste Tunnel der Welt? Informieren Sie sich.

4 Isst man in Ihrem Land auch gern Schokolade? Oder andere Süßigkeiten?

5 Welche Schweizer Produkte sind in Ihrem Land bekannt und kann man dort kaufen?

4_Immer wieder lecker

Schokoladenkonsum (weltweit)	pro Kopf und Jahr
Schweiz	11,9 kg
Deutschland	11,1 kg
Österreich	10,1 kg

5_Markenzeichen CH

Die Schweiz ist ein Kleinstaat und hat kaum Rohstoffe, aber ihre Wirtschaft ist industriell hoch entwickelt und sehr effektiv. Spezialitäten aus Schweizer Produktion sind nicht nur Schokolade und Uhren, sondern auch Pharmazeutika, Spezialmaschinen aller Art und Dienstleistungen im Finanzbereich.

Die Herstellung von Uhren hat – wie auch die von Schokolade – ihren Ursprung in der französischsprachigen Schweiz. Die Uhrenindustrie entwickelte sich im 19. Jahrhundert zu einem wichtigen Wirtschaftszweig. Schweizer Uhren sind für ihre Technik und ihr Design in aller Welt berühmt. Im Angebot sind Luxusuhren wie die von Rolex und Piaget oder preiswerte Swatch-Uhren (Swiss Watch). Die Uhrenindustrie verkauft einen Großteil ihrer Produktion ins Ausland.

Das Schweizer Offiziersmesser ist weltberühmt. Aus dem ersten Typ des Jahres 1891 haben sich bis heute zahlreiche Varianten entwickelt – für Pfadfinder, Golfspieler, Jäger und Angler oder Damenhandtaschen.

Bis heute gibt es in der Schweiz viele Beispiele für direkt praktizierte Demokratie. Im Kanton Glarus entscheidet die Versammlung unter freiem Himmel über neue Gesetze.

Ort der Wilhelm-Tell-Legende ist die Gegend um den Vierwaldstätter See in der Zentralschweiz.

Von Schwyz zur Schweiz

■ Die Schweizer sind Eidgenossen. Was bedeutet das Wort eigentlich?

1_Die Eidgenossen

Die Schweizerische Eidgenossenschaft ist über 700 Jahre alt. Im Jahre 1291 schlossen sich die drei Waldgemeinden Uri, Schwyz und Unterwalden zum „ewigen Bund" zusammen. Sie sind die Urkantone: Das Wort Schweiz kommt von Schwyz. Mitte des 14. Jahrhunderts wurden auch Luzern, Zürich, Glarus, Zug und Bern Mitglieder des Bundes. Die „acht alten Orte" bildeten die Keimzelle des späteren Bundesstaates.

Im Laufe der Jahrhunderte bekamen die kleinen Staaten der Eidgenossenschaft immer mehr Unabhängigkeit. Erst 1848 wurde die Schweiz ein Staat mit einer Bundesverfassung und einem gewählten Parlament (nach dem Muster der USA).

2_Wilhelm Tell ⊚ 62

Ein Deutscher hat das „Nationalstück" der Schweizer geschrieben: den „Wilhelm Tell" (1804). Friedrich Schiller hat die Figuren in seinem Drama erfunden oder aus alten Geschichten übernommen. Die Legende: Die fremden Herrscher zwingen Tell einen Apfel vom Kopf seines Sohnes zu schießen. Tell ermordet Gessler, den verhassten Habsburger, und gibt das Signal zum Befreiungskampf.

Auch die berühmte Szene auf der „Rütliwiese" ist nicht wirklich so passiert. In Schillers Drama treffen sich dort die Landleute der Urkantone, um den Eid des neuen Bundes zu schwören:

„Wir wollen sein ein einzig Volk von Brüdern,
In keiner Not uns trennen und Gefahr.
Wir wollen frei sein, wie die Väter waren,
eher den Tod, als in der Knechtschaft leben.
Wir wollen trauen auf den höchsten Gott
Und uns nicht fürchten vor der Macht der Menschen."

Der Glacier-Express braucht – wie in der guten, alten Zeit – für die Fahrt von St. Moritz nach Zermatt (291 km) über sieben Stunden.

1. Wie verliefen die bürgerlichen Revolutionen in Deutschland und Österreich? Lesen Sie nochmal auf S. 36 nach.

2. Worauf sollte Wilhelm Tell nach der Legende schießen?

3. **a.** Wie ist in ihrem Heimatland der Militärdienst organisiert? Gibt es Alternativen?
   b. Wer war Rosa Luxemburg? Schlagen Sie auf S. 37 nach.

4. Welche Aufgabe haben die Männer der Schweizergarde vor allem?

5. Heute ist die Schweiz nicht mehr die Nr. 1 im Welttourismus. Welche Gründe könnte das haben?

3_Neutral, aber bewaffnet

Die Schweiz ist zwar neutral, aber bewaffnet. Ein Schweizer Bürger ist normalerweise von seinem 20. bis zum 34. Lebensjahr militärdienstpflichtig und muss in dieser Zeit sechs- oder siebenmal an dreiwöchigen Übungen teilnehmen. Die persönliche Ausrüstung – Schutzmaske, Rucksack und Sturmgewehr – nimmt er danach mit nach Hause! Die neutrale, defensive Position der Schweiz hat ihre Anfänge bereits im 17. Jahrhundert. Mit dem Wiener Kongress (1815) wurde sie völkerrechtlich akzeptiert.

Die Schweiz hat sich nicht an den beiden Weltkriegen beteiligt. Schon immer haben politische Flüchtlinge aus anderen Ländern dort Asyl gefunden. Napoleon III., Lenin, Rosa Luxemburg, Thomas Mann und viele andere konnten in der Schweiz eine Zeit lang leben und arbeiten.

4_Die Schweizergarde

Die Schweizergarde wird als „älteste und kleinste Armee der Welt" bezeichnet. Im Jahr 1505 zogen 150 Schweizer Söldner in den Vatikan. Heute sind es noch 110 Männer, die in ihren gelb-rot-blauen Uniformen Wache halten. Rekruten der Schweizergarde müssen Katholiken mit Schweizer Pass und unverheiratet sein.

5_Die Berge rufen

Schon im 18. Jahrhundert kamen die ersten Touristen in die Schweiz. Sie begeisterten sich für die Naturschönheiten und das freie, einfache Leben der Bauern und Hirten. Vor allem englische Alpinisten bestiegen die Gipfel der Berge. Ebenfalls ein Engländer, Thomas Cook, veranstaltete 1863 die erste Rundreise durch die Schweiz. Um die Jahrhundertwende war die Schweiz weltweit das beliebteste Reiseland.

Soldaten in fremden Diensten: die Männer der Schweizergarde im Vatikan.

Die großen Städte

■ Was sind die fünf größten Städte der Schweiz?

Das Bundeshaus in Bern ist der Sitz
der Landesväter (und -mütter).

1_Die Bundesstadt ◉ 63

Bern ist seit 1848 der Regierungssitz der
Schweiz. Bern ist Bundesstadt, nicht Hauptstadt. Denn das „Prinzip Schweiz" basiert
darauf, kein Haupt zu haben, sondern viele
Köpfe. Die Schweizer Regierung ist der sieben-
köpfige Bundesrat; der Bundespräsident wird
jährlich ausgetauscht.

In früherer Zeit war Bern das Zentrum eines
großen Herrschaftsgebiets, das ungefähr die
heutigen Kantone Bern, Waadt und Aargau
umfasste. Nur noch der heutige Kanton Bern
liegt auf der deutschen Seite der Sprach-
grenze. Der Nachbarkanton Jura ist noch sehr
jung. Er wurde erst 1979 von Bern abgetrennt.

2_Geld und Gold

Zürich ist mit rund 380 000 Einwohnern die
größte Stadt der Schweiz. Sie ist eine Stadt
der Finanzen, das Zentrum von Banken und
Versicherungen. Das berühmte Bankgeheimnis
hat Mächtige und Prominente aus aller Welt
dazu gebracht, ihr nicht immer „sauberes" Geld
in der Schweiz zu deponieren.

Die Limmatstadt ist aber auch ein kulturelles
Zentrum. Das Zürcher Schauspielhaus hat
seit den 30er-Jahren, als viele Theaterleute
aus Deutschland emigrieren mussten, einen
internationalen Ruf. In Zürich kann man über
50 Museen besuchen.

Die Eidgenössische Technische Hochschule
(ETH) bildet Wissenschaftler von Weltrang aus.

Blick auf Zürich und die Limmat.

3_Das rote Kreuz

Rotes Kreuz auf weißem Grund: Das Schweizer Kreuz in
gewechselten Farben ist ein internationales Schutzzeichen
geworden. 1864 wurde diese Hilfsorganisation von
dem Schweizer Henri Dunant gegründet. Er bekam
dafür 1901 als Erster den Friedensnobelpreis.

4_Das Tor zur Welt

Das Schweizer Tor zur Welt: So wird die Stadt Basel genannt, denn sie liegt am Dreiländereck Frankreich-Deutschland-Schweiz. Basel hat auch drei internationale Bahnhöfe: einen französischen, einen deutschen und den Schweizer Bahnhof.
Und weil die Stadt zu wenig Platz hat, liegt ihr Flughafen auf französischem Gebiet. Basel besitzt auch einen bedeutenden Hafen. Schweizer Schiffe dürfen auf dem Rhein und seinen Nebenflüssen „gratis" bis in die Nordsee fahren.
Kein Wunder, dass mehrere weltweit tätige Konzerne hier ihren Sitz haben. Der wichtigste Industriezweig ist die Chemie: Fast ein Drittel aller Beschäftigten der Region arbeitet in dieser Branche. Etwa die Hälfte der chemischen Produktion entfällt auf die Herstellung von Medikamenten. Basel ist seit 1460 Universitätsstadt und heute mit über 10 000 Studenten eine junge, lebendige Stadt.

1 Ist Bern die größte Stadt der Schweiz?

2 Was bedeutet „schmutziges" Geld?

3 In welchen Ländern heißt die Hilfsorganisation nicht Rotes Kreuz, sondern Roter Halbmond?

4 Wie viele Kilometer ungefähr müssen Schiffe von Basel bis zur Nordsee zurücklegen?

5 Wann und wo feiert man in Deutschland Fastnacht? Schauen Sie auf S. 17 nach.

6 Ist die Mehrheit der Schweizer heute protestantisch oder katholisch? Die Angaben finden Sie auf Seite 16.

5_Basler Fasnacht

Die Basler Fasnacht ist eine besondere kulturelle Attraktion. Sie beginnt am Montag nach Aschermittwoch. Um vier Uhr morgens sind die Leute schon auf den Beinen. Man hört dann überall das Signal zum Losmarschieren, den „Morgestraich". Alle Lichter gehen aus, man sieht nur noch die Fasnachtslaternen und die fantastischen Masken und Kostüme. Dazu das Trommeln und Pfeifen: Das ist irgendwie unheimlich und gleichzeitig wunderschön.

6_Die Weltstadt

Genf (oder Genève) ist nicht nur – neben Lausanne – das Zentrum der französischen Schweiz, sondern auch so etwas wie die kleinste Weltstadt. Wichtige UNO-Einrichtungen wie die Weltgesundheitsorganisation (WHO) sind hier zu Hause. Übrigens ist die Schweiz noch nicht so lange Mitglied der UNO, erst 2002 haben die Schweizer dafür gestimmt. In Genf gibt es zahlreiche Botschaften, Konsulate (mehr als in Bern) und internationale Organisationen wie das Internationale Rote Kreuz.
Im 16. Jahrhundert machte der Reformator Jean Calvin Genf zum Zentrum des Weltprotestantismus. Und im 17. Jh. entwickelte sich hier auch das schweizerische Uhrenhandwerk.

Die drei Berggipfel von Eiger (3970 m), Mönch (4099 m) und Jungfrau (4158 m) bieten mit ihren Gletschern gute Wintersportmöglichkeiten. Der Aletschgletscher über dem Jungfraujoch ist der größte Gletscher Europas.

Der Rhein ändert auf seinem langen Weg oft seinen Charakter. Der Rheinfall bei Schaffhausen ist Mitteleuropas mächtigster Wasserfall.

Schöne Landschaften

- Angeblich gibt es über 50 Regionen in der Welt, die die Schweiz als Teil ihres Namens führen wie in Deutschland die Sächsische Schweiz oder die Fränkische Schweiz. Was ist wohl typisch für diese Landschaften?

- Und gibt es in Ihrem Land auch eine „Schweiz"?

1_Das Berner Oberland

Das Berner Oberland im südlichen Teil des Kantons Bern ist ein Zentrum des Alpentourismus. Interlaken ist der älteste Fremdenverkehrsort des Landes. Im Kanton Bern sind noch viele alte bäuerliche Traditionen lebendig. Eine besondere Attraktion auf den zahlreichen Volksfesten sind die archaischen Sportdisziplinen (z. B. das „Schwingen", eine Art Ringkampf, oder das „Steinstoßen"). Im Beiprogramm treten außerdem Fahnenschwinger, Alphornbläser und Jodler auf. An vielen Orten ist auch der Alpaufzug der Kühe im Frühjahr und der Abzug im Herbst ein Volksfest. Dann trägt man die alten, bäuerlichen Trachten und die Kühe werden festlich geschmückt.

2_An Rhein und Bodensee

Die beiden Kantone Schaffhausen und Thurgau werden landschaftlich weniger durch die Berge als durch ihre Lage am Wasser geprägt. Das sanft hügelige Land ist ideal zum Wandern, Radfahren und Skaten und der Bodensee ist ein beliebtes Reise- und Ausflugsziel. In den Gasthäusern kann man Fischspezialitäten essen; Obst- und Weinbau bestimmen hier die Landwirtschaft.

Die Landwirtschaft wird finanziell vom Staat unterstützt. Allen Schweizern ist klar, dass die Bauern nicht nur Lebensmittel produzieren. Sie pflegen auch die Landschaft, schützen die Natur und sorgen so dafür, dass die Grundlage des Tourismus erhalten bleibt.

Appenzell ist eine der bekanntesten Käseregionen der Schweiz. Über die Hälfte der Schweizer Milch wird zu Käse verarbeitet.

Im „Heididorf" oberhalb von Maienfeld kann der Besucher erleben, wie die berühmte Kindergeschichte touristisch vermarktet wird.

1 Vor allem aus welchem Land kamen die Alpinisten früher in die Schweiz? Schauen Sie auf S. 91 nach.

2 Verfolgen Sie auf S. 7 oder S. 61 den Weg des Rheins. Wo liegt sein Quellgebiet? Wo mündet er in die Nordsee?

3 **a.** Seit wann dürfen in Ihrem Land Frauen wählen und gewählt werden?
b. Kennen Sie Käsesorten aus der Schweiz?

4 Können Sie sich vorstellen, in einer einsamen Berghütte Urlaub zu machen?

5 Kennen Sie andere Kleinstaaten in Europa?

3_Käse und mehr

Die Ostschweiz bietet Vielfalt in Bezug auf die Landschaft und die Geschichte. Der Kanton St. Gallen entstand 1803 unter Druck Napoleons aus zwölf Kleinstaaten. Mitten im Kanton St. Gallen liegt der Kanton Appenzell. Wie die St. Gallener sagen: „als Kuhdreck in einer grünen Wiese" oder wie die Appenzeller sagen: „als blitzblankes Fünffrankenstück in einem Kuhdreck". Und der Kanton Appenzell ist noch einmal geteilt in zwei Halbkantone, einen katholischen und einen protestantischen. Auch hier fühlt sich jeder Halbkanton dem anderen überlegen. Im katholischen Teil haben die Frauen übrigens erst seit 1990 Stimmrecht. Für die Gesamtschweiz, den Bund, existiert das Frauenwahlrecht „schon" seit 1971. Aber erst 1984 wurde erstmals eine Frau Bundesrat, also Regierungsmitglied.

4_Im Heidiland

Graubünden ist der Kanton der 150 Täler und auch eine beliebte Ferienregion. In einzelnen Tälern wird Italienisch gesprochen, in anderen ist das Rätoromanische die Sprache der Einheimischen. Die gebirgige Landschaft war und ist Rückzugsgebiet für seltene Pflanzen, Tiere und Menschen. Der Kontrast zwischen dem einsamen Leben in den Bergen und der städtischen Zivilisation ist ein wichtiges Motiv in der Geschichte von „Heidi", der weltbekannten Romanfigur der Kinderliteratur von Johanna Spyri.

5_Alpen-Kleinstaat ◎ 64

Das kleine Fürstentum Liechtenstein mit seiner Hauptstadt Vaduz zwischen der Schweiz und Österreich existiert seit 1719. Seit 1924 gilt in Liechtenstein die Schweizer Währung und die Schweiz übernimmt zum Teil auch die außenpolitische Vertretung für den Zwergstaat.
Amtssprache ist Deutsch, aber die Einheimischen sprechen genauso wie die Deutschschweizer alemannischen Dialekt. Von den rund 35 000 Einwohnern des Kleinstaates sind über 10 000 Ausländer, vor allem Deutsche, Österreicher und Schweizer, die Liechtenstein als Steuerparadies nutzen.

Wörterliste

¨	bedeutet: Umlaut im Plural
(Pl.)	bedeutet: Es gibt dieses Wort nur in der Pluralform
(refl.)	bedeutet: reflexiv
*	bedeutet: Das betreffende Verb ist unregelmäßig
[hier:]	bedeutet: Das Wort hat hier eine spezielle; auf einen bestimmten Kontext bezogene Bedeutung
[fig.]	bedeutet: figurativ (das Wort ist als bildlicher Ausdruck zu verstehen)
[umg.]	bedeutet: umgangssprachlich

A

das **Abgas, -e** Gas, das abgeblasen wird, z. B. aus Kraftfahrzeugen 83

abgelegen einsam; isoliert gelegen 86

abgeschnitten isoliert; abgetrennt 42

das **Abitur** Abschlussprüfung nach 12. bzw. 13. Schuljahr; Hochschulreife 20

die **Abteilung, -en** Bereich 33

abtreten * [hier:] abgeben; überlassen 83

abwechslungsreich nicht monoton; vielfältig 64

adlig aristokratisch 76

ähnlich gleich; vergleichbar 19

der **Akademiker, –** jd., der studiert hat 24

das **All** Weltraum; Universum 55

die **Allee, -n** auf beiden Seiten von Bäumen eingefasste Straße 67

allerdings [hier:] aber; jedoch 78

allgemein nicht speziell 21

allmählich mit der Zeit; Schritt für Schritt 10

der **Alltag** das tägliche, „normale" Leben 17

die **Alm, -en** Weide (für das Vieh) im Hochgebirge 94

das **Alphorn, ¨er** altes, einfaches, sehr langes Blasinstrument aus Holz 94

der **Altar, -e** (Opfer)Tisch in der Kirche, an dem der Priester die Sakramente vollzieht 76

die **Alternative, -n** andere Möglichkeit 20

die **Amtssprache, -n** offizielle Sprache (eines Staates) 95

die **Anatomie** Wissenschaft vom Körperbau 48

angeblich wie man behauptet / sagt 82

das **Angebot, -e** [hier:] Sortiment; alle Waren, die verkauft werden 33

der **Angestellte, -n** jd., der nicht selbständig, sondern abhängig (von einem Arbeitgeber) arbeitet 39

der **Anhänger, –** Fan 27

anscheinend scheinbar; wie es aussieht 42

anstelle (an)statt 86

der **Anzug, ¨e** Bekleidung bestehend aus Hose und dazu passender Jacke 86

anzünden Feuer anmachen 14

die **Ära, Ären** Zeitalter; Zeitabschnitt 78

der **Arbeitgeber, –** Chef; Unternehmer 24

der **Arbeitnehmer, –** Angestellter; Arbeiter 24

die **Arbeitsstätte, -n** Arbeitsplatz 53

arbeitswütig „süchtig" nach Arbeit; immerzu arbeitend 81

archaisch aus der Frühzeit; altertümlich 94

das **Argument, -e** Grund 59

die **Armut** Elend; Not 36

das **Asyl** Schutz; Zuflucht 91

das **Attentat, -e** politischer Mord(versuch) 40

das **Attribut, -e** Eigenschaft; typisches Merkmal 39

die **Au(e), -n** feuchtes, bewaldetes Flusstal; Niederung 77

aufführen [hier:] zeigen; spielen; inszenieren 50

aufgeben * [hier:] aufhören; darauf verzichten 13

aufsagen vortragen; rezitieren 15

der **Aufstand, ¨e** Revolte; Rebellion 44

der **Aufstieg, -e** Aufschwung; Karriere 69

der **Auftritt, -e** Vorstellung; Auftreten vor Publikum 79

aufwachsen * groß werden 13

aufwärts nach oben 43

ausarbeiten entwickeln; fertig stellen; verbessern 36

ausbauen fertig stellen; vergrößern; erweitern 37

die **Ausbildung, -en** Qualifikation; Lehre; Studium etc. 20

ausbrechen * [hier:] (plötzlich) anfangen; entstehen 37

der **Ausflug, ¨e** kleine (Tages)Reise; kleine Wanderung 27

der **Ausgangspunkt, -e** Startort 85

ausreichend genug 18

ausrufen * [hier:] proklamieren 38

die **Ausrüstung, -en** für einen bestimmten Zweck nötige Gegenstände; Werkzeug 27

die **Aussage, -n** Feststellung; Erklärung 24

die **Aussicht, -en** Blick; Panorama 77

ausüben praktizieren (einen Beruf / eine Sportart) 26

die **Auswahl** Angebot; Wahl 58

die **Auswanderung** Emigration 36

auswendig aus dem Gedächtnis 11

autoritär streng; undemokratisch 36

B

der **Backstein, -e** gebrannter Stein aus Lehm oder Ton 66

die **Bandscheibe, -n** elastische Scheibe zwischen zwei Wirbeln (Hals / Rücken) 25

die **Baracke, -n** einfacher, provisorischer (Holz)Bau; Notwohnung 43

der **Beamte, -n** Angestellter des Staates; „Staatsdiener" 40

beantragen formell etw. fordern; verlangen 18

das **Becken, –** [hier:] Ebene; tieferes Gebiet 74

der **Bedarf** Bedürfnis; das, was man braucht 32

die **Bedingung, -en** Voraussetzung [im Plural auch: Situation] 24

die **Bedrohung, -en** Gefahr; Gefährdung 37

der **Befehl, -e** Kommando; Anordnung 83

begabt talentiert; fähig 49

begeistern (refl.) etw. toll finden; mit Enthusiasmus reagieren 27

der **Begleiter, –** jd., der mit einem geht 14

begraben * beerdigen 83

begrenzt beschränkt; limitiert 22

beherrschen bestimmen; dominieren 50

der **Behinderte, -n** jd., der einen körperlichen oder geistigen Schaden hat 40

bekämpfen gegen etw. / jdn. vorgehen 51

Bekanntschaft machen kennen lernen 34

die **Bemühung, -en** Anstrengung 45

benutzen verwenden; gebrauchen 10

bequem [hier:] komfortabel 19

beraten * besprechen; diskutieren 8

bereichern reicher machen 48

der **Bericht, -e** sachliche Darstellung; Erzählung 17

berühmt sehr bekannt; renommiert 24

die **Beschäftigung, -en** [hier:] die Aktivität; der Zeitvertreib 28

beschließen * entscheiden; bestimmen über 40

der **Beschluss, ⁓e** Entscheidung; Vereinbarung 65

beseitigen wegschaffen; verschwinden lassen 39

besetzen okkupieren 41

besichtigen sich anschauen; besuchen 62

besiedelt bewohnt 66

besitzen * (als Eigentum) haben 18

bestimmen [hier:] prägen; beeinflussen 38

beteiligen (refl.) mitmachen; teilnehmen 37

beten zu einem Gott sprechen 48

betrachten ansehen; anschauen 37

betreffen * angehen 51

der **Betrieb, -e** Firma; Unternehmen 54

die **Bevölkerung, -en** Menschen, die in einem Land / einer Region leben 10

bevorzugen lieber haben / machen etc. 29

bewaffnet mit Waffen ausgerüstet 91

die **Bewegung, -en** [hier:] politische Strömung 36

der **Bewerber, –** Kandidat; Interessent 57

bewundern bestaunen; schön finden 16

bezeichnend charakteristisch; typisch 79

bezeugen Zeuge sein von; dokumentieren 66

die **Beziehung, -en** Kontakt; Verbindung 45

die **Bilanz, -en** [hier:] Ergebnis 41

die **Bildung** [hier:] Qualifikation; Erwerben von Kenntnissen / Fähigkeiten 22

die **Bindung, -en** Beziehung 83

das **Blei** Metall (chem. Zeichen: Pb) 16

blenden blind machen; täuschen 40

blicken schauen; sehen 56

blitzblank sehr sauber und glänzend 95

der **Block, ⁓e** [hier:] Vereinigung mehrerer Staaten / Parteien etc.; um die Macht zu vergrößern 45

die **Blockade, -n** Absperrung 42

blöd(e) [umg.] doof; dumm 56

die **Blüte** [hier:] Höhepunkt 48

die **Börse, -n** Ort, an dem Wertpapiere / Waren etc. gehandelt werden 70

die **Botschaft, -en** [hier:] ständige diplomatische Vertretung 93

der **Brauch, ⁓e** Tradition; Gewohnheit 15

die **Brauerei, -en** Unternehmen, das Bier
produziert 17

die **Brezn** (bayrisch für Brezel) Gebäck,
das ungefähr aussieht wie eine Acht 17

die **Bühne, -n** erhöhter Teil des Theaters, wo die
Aufführung stattfindet 82

der **Bund, ⁻e** Vereinigung; Zusammenschluss 66

die **Bürgerinitiative, -n** Vereinigung von
Bürgern / Einwohnern, um politische
Forderungen durchzusetzen 43

C

die **Chance, -n** gute Aussicht; Gelegenheit; Möglichkeit 31

die **Clique, -n** Gruppe von Freunden / Gleichge-
sinnten 31

die **Couch, -s** (Liege)Sofa 79

D

damalig aus dieser früheren, vergangenen
Zeit 45

damals zu dieser vergangenen Zeit 42

dank durch; mit Hilfe von 50

der **Deich, -e** Schutzwall gegen Hochwasser und
Fluten 65

die **Dekoration, -en** Schmuck; Verzierung 15

demonstrieren [hier:] an einer (Protest)Kundge-
bung teilnehmen 37

deponieren lagern; entsorgen 57

derb grob; kräftig 51

dergleichen so etwas; etwas in der Art 38

deutlich klar; gut erkennbar; mit Nachdruck 45

deutschstämmig aus Deutschland kommend 10

der **Dialekt, -e** Mundart 10

dienen [hier:] eine Funktion haben 28

die **Dienstleistung, -en** Service z. B. von
Banken / in der Gastronomie etc. 8

diskutieren bereden; Meinungen austau-
schen 28

distanzieren (refl.) sich fern halten; nichts damit
zu tun haben wollen 43

die **Disziplin** (Unter)Ordnung 24

dogmatisch unbeweglich; an Dogmen festhal-
tend 45

das **Dorf, ⁻er** kleiner Ort; Siedlung auf dem
Land 26

dringend eilig 56

die **Druckpresse, -n** Maschine zum Drucken von
Zeitungen / Büchern etc. 11

der **Durchschnitt** Mittelwert; Mittelmaß 18

E

die **Ebbe** Zurückfließen des Meerwassers 65

die **Ebene, -n** flaches Land 64

ebenfalls auch 53

echt nicht gefälscht; wirklich 32

edel [hier:] adlig; vornehm 72

effektiv [hier:] leistungsstark; produktiv 89

die **Ehe, -n** offiziell geschlossene Lebens-
gemeinschaft zwischen Mann und Frau 40

ehemalig früher; Ex- 12

ehrlich ohne zu lügen; die Wahrheit sagend 13

ehrwürdig [hier:] alt und vornehm 72

der **Eid, -e** Schwur; feierliches, formales
Versprechen 88

die **Eigenschaft, -en** Merkmal; Charakteristi-
kum 51

das **Eigentum, ⁻er** Besitz 18

der **Einfluss, ⁻e** Wirkung 34

eingerichtet [hier:] möbliert; ausgestattet 19

einheimisch in einem Land / Ort geboren und
dort lebend 88

einheitlich für alle / überall gleich 10

die **Einigung, -en** [hier:] Zusammenschluss; Eins-
werden 37

das **Einkommen, –** Gehalt; Geld, das man
bekommt (durch Arbeit / Besitz etc.) 18

einmalig nur einmal vorkommend; ganz besonders 87

die **Einrichtung, -en** [hier:] Organisation; Institution 93

einsam allein; isoliert 12

die **Einsicht, -en** Erkenntnis 79

eintreten * [hier:] Mitglied / Teilnehmer
werden 37

einweihen mit einer Zeremonie eröffnen 48

einzeln für sich alleine 65

einzig alleinig; nur das existiert 10

das **Elend** Not; Unglück 36

emigrieren auswandern 37

empfangen * (herein)bekommen 58

empfehlen * raten; als gut / günstig vor-
schlagen 63

enorm sehr groß; hoch 38

entscheiden * etw. beschließen; eine Wahl treffen 21

die **Entspannung** Lockerung; Liberalisierung (polit.) 45

entspringen * entstehen; seinen Ursprung / seine Quelle haben 77

entstehen * sich (heraus)bilden; sich entwickeln; werden 36

entwickeln (refl.) entstehen; wachsen; sich verändern 11

das **Erbe** das, was die vorhergehende(n) Generation(en) uns hinterlassen haben 78

die **Erfahrung, -en** Kenntnisse; Erlebnis, aus dem man etw. lernt 24

erfinden * etw. ganz Neues (z. B. eine Maschine) schaffen 11

der **Erfolg, -e** Sieg; sehr gute Leistung 26

erforschen wissenschaftlich untersuchen 51

das **Ergebnis, -se** das Resultat 31

die **Erinnerung, -en** Gedanke(n) an die Vergangenheit 12

erlauben sagen, dass jd. etw. darf; zulassen 45

ermorden umbringen; töten 37

ernst [hier:] schwerwiegend; gravierend 43

der **Ernst** kein Spaß 20

erobern mit Gewalt in Besitz nehmen; unterwerfen 41

die **Erscheinung, -en** [hier:] Phänomen 50

erschießen * durch einen Schuss töten 83

erschreckend schrecklich; furchtbar 41

erstrecken (refl.) sich ausdehnen 65

der **Erwerbstätige, -n** Berufstätiger 54

erzeugen produzieren; bewirken 51

die **Erziehung** [hier:] Ausbildung 21

es kommt darauf an es ist entscheidend; es hängt davon ab 42

eskalieren sich steigern; sich überstürzen 45

die **Ethik** Morallehre 51

die **Eurythmie** Ausdruckstanz; Bewegung und Sprache / Gesang 21

ewig für alle Zeit 90

exklusiv [hier:] besonders; speziell; für gehobene Ansprüche 33

der **Experte, -n** Fachmann 12

exzentrisch überspannt; mit merkwürdigen Launen 81

F

das **Fach, ¨er** [hier:] Wissens- oder Unterrichtsgebiet, z. B. Mathematik, Biologie 21

das **Fachwerk** bes. im 16. / 17. Jahrhundert übliche Bauweise mit Holzbalken und Lehm oder Ziegeln dazwischen 71

das **Fachwissen** Kenntnisse auf einem bestimmten Gebiet 12

fassen [hier:] gefangen nehmen 41

fasten nichts oder nur bestimmte Speisen essen 15

feiern ein Fest machen; festlich begehen 14

der **Felsen, –** große Masse aus Stein 65

fertig zu Ende; abgeschlossen 20

die **Fläche, -n** Areal; Gebiet 54

das **Flair** Atmosphäre; Ausstrahlung 78

der **Fleiß** Eifer; Tatkraft 24

der **Flohmarkt, ¨e** Markt mit Gebrauchtwaren / Antiquitäten etc. 32

die **Flotte, -n** alle Schiffe eines Landes 37

flüchten fliehen; weglaufen (vor Gefahr) 37

der **Flüchtling, -e** jd., der fliehen muss 41

das **Flugblatt, ¨er** Papier mit (politischen) Mitteilungen, das verteilt wird 41

die **Flut, -en** strömendes (Hoch)Wasser 64

die **Folge, -n** Ergebnis; Konsequenz 36

fördern [hier:] Kohle etc. aus der Erde nach oben bringen 68

fordern verlangen; haben wollen 36

der **Fortschritt, -e** das Weiterkommen; Besserwerden 50

fremd anders(artig); unbekannt 19

der **Frieden** Zustand ohne Krieg; Ruhe; Harmonie 45

frieren * sich kalt fühlen; unter der Kälte leiden 42

froh zufrieden; glücklich 13

fruchtbar ertragreich; gute Ernte bringend 67

füllen voll machen 15

fürchten Angst haben 12

der **Fürst, -en** Adelstitel 48

G

die **Gabe, -n** [hier:] Begabung; Fähigkeit 72

der **Garant, -en** jd., der etw. garantiert / absichert 8

die **Garde, -n** militärische (Elite)Truppe 91

die **Gardine, -n** leichter, transparenter
Vorhang 19

die **Gasse, -n** kleine, enge Straße 80

das **Gebiet, -e** Region 10

gebildet mit (Aus)Bildung; kultiviert 13

das **Gebot, -e** Gesetz; Vorschrift 35

die **Gebühr, -en** (amtliche) Kosten 22

das **Geflügel** Tiere mit Federn; Vögel, die man
isst 15

gegenüber vis-à-vis; auf der anderen Seite 52

die **Gegenwart** das Heute; was jetzt ist 74

der **Gegner, –** Feind; Oppositioneller 40

geheim versteckt; der Öffentlichkeit nicht
bekannt 89

geil [umg.] toll; super 56

der **Geist, -er** Gespenst; Dämon 17

geistig intellektuell 50

gelten * [hier:] angesehen werden als 63

gemeinsam zusammen mit anderen 28

die **Gemeinschaft, -en** Gruppe, die zusammen-
gehört; Verbindung 58

der **Gemischtwarenladen, ¨** kleines Geschäft für
Lebensmittel und andere Dinge des täglichen
Bedarfs 32

gemütlich bequem und behaglich; familiär 19

der **Genosse, -n** Kamerad; Gleichgesinnter 86

das **Gericht, -e** [hier:] das Essen; die Speise 14

das **Gericht, -e** Ort / Behörde, wo Recht gesprochen wird 47

das **Geschäft, -e** [hier:] Laden 32

das **Geschehen, –** Ereignisse; das, was
passiert 38

gesinnt eingestellt; (ideologisch) orientiert 47

die **Gestaltung** Design 51

die **Gewalt, -en** rohe Kraft; (zerstörerische)
Macht 64

gewaltsam mit Gewalt; erzwungen 40

das **Gewehr, -e** Schusswaffe 91

die **Gewerkschaft, -en** Organisation, die die
Interessen der Arbeitnehmer vertritt 25

die **Gewohnheit, -en** [hier:] Brauch; Tradition 34

der **Giebel, –** dreieckiger Abschluss des Daches
an den Schmalseiten eines Hauses 66

glanzvoll prächtig 39

gleichgestellt mit den gleichen Rechten; in der
gleichen Position 42

der **Gletscher, –** Eisstrom im Hochgebirge 83

die **Glotze, -n** [umg.] Fernsehapparat 31

gnadenlos brutal; unerbittlich; ohne Mitleid 36

die **Goldgrube, -n** [fig.; umg.] profitables
Geschäft 84

der **Gottesdienst, -e** die gemeinsame Zeremonie
der Gläubigen 15

grell stark leuchtend; sehr kräftig 51

die **Grenze, -n** Trennlinie zwischen
Grundstücken / Ländern etc. 8

gründen ins Leben rufen; initiieren 27

die **Grundlage, -n** Basis; Voraussetzung 45

das **Grundprinzip, -ien** Grundsatz; wichtige
Voraussetzung 38

das **Gut, ¨er** [hier:] Ware; Produkt 54

H

der **Handel** Austausch von Waren etc.;
Geschäft 54

handeln [hier:] sich verhalten 40

hässlich unschön 17

das **Haupt, ¨er** Kopf; Führer 92

die **Hauptsache** das Wichtigste 35

hauptsächlich vor allem; in erster Linie 35

der **Haushalt** [hier:] alle zu Hause / in der Familie
nötigen Arbeiten 12

die **Heide, -n** flache, sandige Landschaft mit
Gräsern und Sträuchern 64

heilen gesund machen; kurieren 71

das **Heim, -e** (Zu)Haus 18

hektisch übertrieben geschäftig; ruhelos 14

der **Held, -en** besonders mutiger Kämpfer;
jd., der etwas Herausragendes leistet 83

das **Hendl, –** (bayr.; oberdt.) junges Huhn 17

der **Hering, -e** Meeresfisch 82

heutig modern; von heute 18

hexen zaubern 72

der **Hintergrund, ¨e** [hier:] tieferer Zusammen-
hang; eigentliche Ursache 59

der **Hirte, -n** jd., der Nutztiere (z. B. Kühe oder
Ziegen) hütet 89

die **Hoffnung, -en** optimistische Erwartung an
die Zukunft 25

der **Hopfen** Pflanze; Rohstoff für Bier 35

hügelig mit niedrigen Erhebungen / Bergen 86

hundemüde [umg.] sehr, sehr müde 21

I

das **Ideal, -e** Vorbild 13

die **Illustrierte, -n** Zeitschrift mit Bildern / Fotos 59

der **Imbiss, -e** kleine Mahlzeit (zwischendurch) 35

immerhin jedenfalls; mehr / besser als erwartet 10

imposant beeindruckend 74

innerhalb in 44

insgeheim im Geheimen; versteckt 38

die **Institution, -en** Einrichtung; Behörde 40

J

der **Job, -s** [umg.] Arbeit (meist vorübergehend, ohne feste Anstellung) 22

der **Jodler, –** jd., der jodelt, d.h. auf eine bestimmte Art und Weise (ohne Worte) singt 94

der **Jugendliche, -n** Teenager 20

K

die **Kammer, -n** [hier:] Lagerraum 78

kämpfen [hier:] sich mühen 32

der **Karpfen, –** Speisefisch 14

die **Kaserne, -n** Gebäude, in dem Soldaten stationiert sind 39

kegeln sportliches Spiel, bei dem man eine Kugel über eine Bahn nach Kegelfiguren rollt 28

die **Keimzelle, -n** [hier:] Ursprung 90

der **Keks, -e** Plätzchen; Gebäck 15

der **Keller, –** (Lager)Raum unter einem Gebäude 80

der **Kerl, -e** Mensch; Mann; Junge (oft negativ gebraucht) 14

der **Kernpunkt, -e** zentraler / wichtigster Punkt 38

das **Kfz** Abkürzung für Kraftfahrzeug 21

der **Kiosk, -e** Verkaufshäuschen für Zeitungen, Süßigkeiten, Zigaretten etc. 59

die **Kirmes** Jahrmarkt; Rummel 17

der **Kitsch** geschmacklose Pseudo-Kunst 84

die **Klamotten** (Pl.) [umg.] Kleidung(sstücke) 31

die **Klausel, -n** zusätzliche Bestimmung (z. B. in Verträgen) 46

das **Klischee, -s** zu oft gebrauchte, pauschale Vorstellung 88

der **Knabe, -n** Junge; männliches Kind 79

die **Knechtschaft** Sklaverei 90

die **Kneipe, -n** das Gasthaus / Wirtshaus (z. B. Studenten- / Bierkneipe) 23

der **Kommerz** Handel; Geschäftemacherei 14

kommunal Gemeinde- 19

Konjunktur haben * wirtschaftlich erfolgreich sein; gut laufen 30

konsumieren verbrauchen 35

kontrollieren überwachen; prüfen; beherrschen 42

das **Kopfgeld, -er** Prämie für die Gefangennahme von Kriminellen oder Flüchtlingen 42

die **Kostbarkeit, -en** etwas Wertvolles 78

kräftig stark 17

der **Kranz, ⁼e** aus Zweigen / Blumen o. Ä. gebundener Ring 14

der **Kredit, -e** Geld, das man (ver)leiht 18

kreuz und quer hin und her; in alle Richtungen 61

die **Krippe, -n** [hier:] Darstellung mit Figuren der Heiligen Familie im Stall zu Bethlehem 15

die **Kronjuwelen** (Pl.) Schmuck, Gold etc. aus dem Besitz eines Herrscherhauses 78

die **Kröte, -n** Froschart 57

kulinarisch die Kochkunst / (gute) Küche betreffend 35

kümmern (refl.) sich sorgen; sich beschäftigen 12

der **Kumpel, -s** [umg.] (Arbeits)Kamerad; Freund 19

der **Kunde, -n** Klient; Käufer 32

kündigen einen Vertrag etc. beenden; auflösen 18

künstlich nicht natürlich; artifiziell 64

die **Küste, -n** Land am Meer 64

L

lächeln leise lachen 80

ländlich provinziell; nicht städtisch 66

langweilig uninteressant; öde 13

der **Lärm** sehr laute Geräusche; Krach 17

der **Lastwagen, –** Kfz zum Transport schwerer Güter 57

lebhaft lebendig; farbig 32

die **Legende, -n** Sage; Mythos 90

leger locker; formlos 39

die **Lehre, -n** 2- bis 3-jährige Ausbildung für bestimmte Berufe 20

die **Leibwache, -n** Truppe / Garde zum persönlichen Schutz 40

der **Leichnam, -e** Leiche; Körper eines Toten 81

leichtfüßig schnell und elegant 26

das **Leid** Unglück; großer Schmerz 59

die **Liste, -n** Aufstellung; Verzeichnis 27

die **Litfaßsäule, -n** Säule, an der Plakate / Werbung etc. angeschlagen sind 52

locken verführen; attraktiv sein 15

lokal zu einem Ort gehörig 26

das **Lokal, -e** Gasthaus; Kneipe 28

lukrativ lohnend; profitabel 41

die **Lust** [hier:] Vergnügen; Freude 27

lustig fröhlich; komisch 16

M

die **Macht** Herrschaft; (Befehls)Gewalt 37

magisch verzaubert; geheimnisvoll 73

der **Magnet, -en** [hier:] Anziehungspunkt; attraktiver Ort 39

malerisch romantisch-idyllisch; pittoresk 74

die **Mannschaft, -en** Team 26

die **Manufaktur, -en** Betrieb, wo die Waren mit der Hand produziert werden 72

das **Markenzeichen, –** gesetzlich geschütztes Produktzeichen; Label (z. B. Rolex) 89

der **Mäzen, -e** jd., der Künstler und Kultur fördert 48

die **Meinung, -en** Standpunkt; was jd. über etw. / jdn. denkt 13

melden bekannt geben 65

die **Mentalität, -en** Art zu denken und sich zu verhalten 88

das **Merkmal, -e** typische Eigenschaft; Zeichen 64

die **Messe, -n** [hier:] katholischer Gottesdienst 15

die **Messe, -n** [hier:] Industrie-, Verkaufsausstellung 17

die **Metropole, -n** Hauptstadt; Zentrum 39

mieten etwas gegen Geld für eine bestimmte Zeit benutzen 18

die **Minderheit, -en** die, die in der Unterzahl / weniger sind 10

der **Mist** [hier:] Tierkot 82

die **Mitbestimmung** [hier:] Recht der Arbeitnehmer, an Entscheidungen im Betrieb mitzuwirken 43

das **Mitglied, -er** jd., der einem Verein / Klub / einer Organisation angehört 25

das **Mittelalter** die Zeit zwischen Antike und Neuzeit 10

mobil beweglich; bereit den Ort zu wechseln 18

moderat gemäßigt; nicht übertrieben 36

das **Monopol, -e** alleiniges Vorrecht 66

das **Motiv, -e** [hier:] Objekt, das dargestellt / abgebildet wird 48

das **Motto, -s** Leitspruch; Devise 43

die **Mumie, -n** konservierter Leichnam 83

die **Mundart, -en** Dialekt; regionale Sprechweise 10

münden hineinfließen 77

das **Münster, –** Klosterkirche; Dom 74

N

der **Nachbar, -n** jd., der neben einem sitzt oder wohnt 11

die **Nachbarschaft** direkte Umgebung 32

die **Nachricht, -en** Mitteilung; Neuigkeit 59

der **Nachteil, -e** schlechte Seite; negative Folge 13

der **Nachtisch** Dessert; Nachspeise 35

der **Nachtschwärmer, –** [fig., umg.] jd., der gerne nachts ausgeht 63

der **Nachwuchs** die jungen Leute; die, die nachkommen 31

nennen * [hier:] aufführen; aufzählen 11

neutral [hier:] nicht parteiisch; unbeteiligt 9

die **Niederlage, -n** Besiegtwerden 41

normalerweise in der Regel; gewöhnlich 18

die **Note, -n** [hier:] Beurteilung (z. B. in Punkten) 20

notwendig etwas unbedingt brauchen 42

nutzlos unnötig; überflüssig 12

O

obdachlos ohne Wohnung 18

oberflächlich ohne tiefere Gefühle / Gedanken; nur auf Äußerlichkeiten bedacht 56

öffentlich staatlich; städtisch 14

die **Öffentlichkeit** die Leute; das Publikum 39

der **Offizier, -e** militärischer Rang; „höherer" Soldat 89

die **Ohrfeige, -n** Schlag mit der Hand auf die Backe 12

das **Opfer, –** jd., der etw. Schlimmes erleiden muss 40

die **Opposition, -en** Widerstand; alle Gegner 36

orientieren (refl.) sich beziehen; sich als Vorbild / Modell nehmen 43

die **Orthografie, -n** Rechtschreibung; richtige Schreibweise 11

P

das **Paar, -e** zwei (Personen / Dinge), die zusammengehören 13

der **Palast, ¨e** Schloss; Prachthaus 19

die **Parzelle, -n** kleines Stück Land 29

der **Pfadfinder, –** Mitglied der gleichnamigen, in England gegründeten Jugendbewegung 87

die **Pflege** [hier:] Betreuung; Fürsorge 24

die **Pflicht, -en** Aufgabe; Verantwortung; das, was man tun muss 20

der **Pilger, –** Wallfahrer; jd., der eine religiös motivierte Reise macht 76

das **Plätzchen, –** das Gebäck; der Keks 15

der **Polier, -e** Vorarbeiter; Maurer 42

der **Pott, ¨e** (norddts.) Topf 68

das **Praktikum, Praktika** praktische Ausbildungsphase 23

preiswert billig; günstig 18

die **Presse** [hier:] alle Zeitungen 59

probieren versuchen; kosten 33

profitieren Nutzen ziehen; Vorteile haben 36

progressiv fortschrittlich 13

der **Prominente, -n** berühmte / bekannte Persönlichkeit 92

protestieren gegen etw. sein und es sagen / zeigen 43

die **Provinz, -en** [hier:] ländliche Region 30

die **Prozedur, -en** Vorgehensweise; Verfahren 85

prunkvoll prächtig; luxuriös 48

das **Publikum** die Zuschauer; Besucher 31

pünktlich zur richtigen Zeit 63

Q

qualifiziert gut ausgebildet; geeignet 44

die **Ouelle, -n** wo Wasser (z. B. eines Flusses), aus der Erde kommt 71

die **Quote, -n** Zahl; Rate 24

R

der **Rabatt, -e** Preisnachlass; Ermäßigung 31

radikal kompromisslos; extrem 83

die **Rampe, -n** [hier:] vorderer Rand der Theaterbühne 30

im Rampenlicht [fig.] im Zentrum der Aufmerksamkeit / des öffentlichen Interesses 30

rasen sehr schnell fahren; sich bewegen 52

der **Raubdruck, -e** Nachdruck eines Buches ohne Lizenz 11

der **Rebell, -en** Aufständischer; Revolutionär 36

der **Reformator, -en** Erneuerer 11; 93

in der Regel gewöhnlich; meistens 32

regelmäßig immer wieder; sich wiederholend 20

das **Regiment** [hier:] (strenge) Herrschaft 37

der **Regisseur, -e** Filmemacher 30

das **Reich, -e** Staat; Imperium 37

der **Reim, -e** Gleichklang von Silben z. B. in einem Gedicht (Haus – Maus, klingen – singen) 38

die **Renaissance** künstler. Stil und Kulturepoche, ca. 14. bis 16. Jh. 48

die **Rente, -n** Einkommen, das aus der Versicherung kommt (z. B. die Altersrente) 24

der **Rentner, –** jd., der nicht mehr arbeitet und eine (Alters- / Invaliden-)Rente bekommt 12

der **Reporter, –** Berichterstatter für Zeitung / Fernsehen etc. 52

die **Residenz, -en** Regierungssitz 30

retten bewahren; in Sicherheit bringen 25

richten (refl.) sich orientieren; anpassen 31

die **Richtung, -en** [hier:] künstlerische / kulturelle Strömung; Tendenz 51

riesig sehr groß 17

das **Risiko, Risiken** Gefahr; Wagnis 27

der **Rohstoff, -e** Primärstoff; unbearbeitetes Naturprodukt (z. B. Kohle) 87 die **Rolle, -n** Funktion; Aufgabe 13

die **Rosine, -n** getrocknete Weintraube 14

rücken ein kleines Stück bewegen 70

rückständig nicht fortschrittlich; nicht so entwickelt 66

der **Ruf** [hier:] Renommee; Ansehen 31

rund [hier:] etwa; ungefähr 10

der **Rundfunk** Radio 58

S

der **Saal, Säle** sehr großer Raum in einem Gebäude 8

sammeln zusammentragen 14

sanft [hier:] vorsichtig; leise 66

sanieren [hier:] restaurieren; in Stand setzen 19

satt befriedigt (Hunger / Genuss) 43

der **Sauerstoff** Gas (chemisches Zeichen: O) 54

sausen [hier:] sehr schnell fahren 27

der **Schädling, -e** Tier, das Kulturpflanzen zerstört 80

schaffen * [hier:] künstlerisch gestalten; kreieren 49

schaffen [hier:] arbeiten 74

scharf [hier:] stark gewürzt 35

die **Schattenseite, -n** schlechte Seite; negative Begleiterscheinung 27

der **Schatz, ¨e** Reichtümer; Gold und Geld 48

der **Schauplatz, ¨e** Ort, wo etwas stattfindet 82

scheinen * [hier:] es sieht so aus; als ob 42

scherzhaft lustig; nicht ernst gemeint 32

die **Schicht, -en** [hier:] tägliche Arbeitszeit (z. B. die Frühschicht) 25

das **Schicksal, -e** was dem Menschen in seinem Leben passiert 40

die **Schlagzeile, -n** fett gedruckte Überschrift in einer Zeitung 59

schlimm böse; schlecht 72

schmal nicht breit; eng; dünn 35

schmeißen * [umg.] werfen 18

schmelzen * auflösen; flüssig machen / werden 16

der **Schmuck** Verzierung; Dekoration; Halsketten, Armbänder etc. 32

schmücken dekorieren; verschönern 15

schmutzig dreckig; nicht sauber 21

der **Schnaps, ¨e** starkes alkoholisches Getränk 17

schnitzen in Holz ausschneiden 76

die **Schöpfung** [hier:] Erschaffung der Welt (durch Gott) 87

der **Schornstein, -e** Schlot; Kamin; Abzug für Rauch 77

die **Schriftsprache, -n** die geschriebene Sprache 10

der **Schriftsteller, –** Autor; Verfasser 53

der **Schütze, -n** [hier:] jd., der mit einer Schusswaffe schießt 28

schwach nicht stark; kraftlos 38

der **Schwerpunkt, -e** wichtigster Punkt; zentrales Thema 58

schwingen * in großem Bogen hin und her bewegen 94

schwören * einen Eid sprechen 90

die **See, -n** Meer; Ozean 29

die **Sehenswürdigkeit, -en** sehenswerte Bauten; Kunstwerke 63

selbstbewusst von sich selbst / von den eigenen Fähigkeiten überzeugt 39

Selbstmord begehen * sich umbringen; sich selbst töten 41

selten sehr wenig; rar 22

der **Sieg, -e** gewonnener Kampf 37

sinken * nach unten gehen; abnehmen; weniger werden 13

der **Sitz, -e** [hier:] politisches Mandat 46

der **Skandal, -e** schockierendes Ereignis 79

der **Skat** beliebtes deutsches Kartenspiel 28

so weit sein * losgehen; bereit / fertig sein 42

die **Sorge, -n** Kummer; Angst 56

die **Sorte, -n** Art; Typ 35

das **Souvenir, -s** Andenken; Reiseerinnerung 84

sozial schwach sozial benachteiligt; unten stehend 19

sparsam nicht verschwenderisch; immer sparend 57

die **Speise, -n** Gericht; Essen 34

das **Sprichwort, ¨er** (philosophische) Sentenz in Form einer kurzen Wendung (z. B. „Ohne Fleiß kein Preis") 24

die **Sprungschanze, -n** Anlage zum Skispringen 82

städtisch Stadt-; urban 49

der **Stamm, ¨e** Volksgruppe 10

der **Stand, ¨e** [hier:] Position 30

ständig immer; die ganze Zeit 11

stattfinden * sich ereignen; passieren 16

staunen sich wundern; überrascht sein 27

das **Stauwerk, -e** Anlage, die Wasser am Weiterfließen hindert 68

die **Steuer, -n** Abgaben, die der Bürger an den Staat zahlen muss 95

das **Stichwort, ⁼er** das entscheidende / wichtige Wort 33

stillhalten * [hier:] nicht protestieren; sich etw. gefallen lassen 39

stilllegen schließen; den Betrieb einstellen 69

der **Stimmbruch** Stimmwechsel; Tieferwerden der männlichen Stimme im Teenager-Alter 79

stimmen richtig / wahr sein 34

das **Stimmrecht, -e** Wahlrecht 95

stimmungsvoll mit schöner Atmosphäre 14

der **Stollen, –** [hier:] v.a. zu Weihnachten gebackener Hefekuchen mit Rosinen, Mandeln etc. 15

stolz [hier:] sehr zufrieden 18

stören durcheinanderbringen 25

die **Strecke, -n** [hier:] der Straßenabschnitt 67

streiken die Arbeit niederlegen, um bestimmte Forderungen durchzusetzen 25

streng strikt; autoritär 12

der **Stress** Belastung; Druck 13

stressig anstrengend; belastend 19

der **Sturm, ⁼e** sehr starker Wind 62

subventionieren mit öffentlichen Mitteln unterstützen 30

super [umg.] toll; klasse; großartig 31

T

der **Tagebau** Bergbau (z. B. Förderung von Braunkohle) an der Erdoberfläche 68

das **Tal, ⁼er** ebenes Land zwischen Bergen 27

tätig aktiv 93

tauschen das eine geben und dafür das andere bekommen 13

die **Taxe, -n** Gebühr; Steuer 71

das **Team, -s** Arbeitsgruppe; Mannschaft 25

die **Tendenz, -en** Richtung; Strömung 53

der **Tipp, -s** Ratschlag; Empfehlung 65

toll [umg.] super; großartig 18

den Ton angeben * bestimmend; führend sein 50

die **Tracht, -en** traditionelle Kleidung einer Region / Berufsgruppe 94

trauen glauben; vertrauen 90

treu loyal; fest verbunden 26

trinkbar zum Trinken geeignet 85

der **Trödel** billiger, alter Kram 32

tüchtig fleißig; leistungsfähig 42

der **Tunnel, -(s)** unterirdischer Gang für Straßen / Kanäle etc. 89

U

der **Überfall, ⁼e** plötzlicher, unerwarteter Angriff 41

überhaupt im Ganzen gesehen 39

überhaupt nicht gar nicht 17

überlaufen sehr voll 23

überleben [hier:] weiterexistieren 30

überlegen sein * mehr können / wissen als jd. anders 95

übernachten die Nacht verbringen; schlafen 29

übersetzen von einer Sprache in eine andere übertragen 11

überwachen kontrollieren 44

überzeugen jdn. dazu bringen, eine (andere) Idee / Meinung anzunehmen 9

üblich normal; gewöhnlich 21

übrigens nebenbei bemerkt; apropos 27

die **Umfrage, -n** Befragung; Interview 18

die **Umgangssprache, -n** Sprache, die man im alltäglichen Leben gebraucht 10

die **Umgebung** Umland, was drumherum ist 63

umkommen * ums Leben kommen; sterben (gewaltsam) 53

ums Leben kommen * sterben (gewaltsamer / nicht natürlicher Tod) 41

umschulen in einem neuen / anderen Beruf ausbilden 42

umweltbewusst die Umwelt schonend; schützend 57

umweltfreundlich die Umwelt / Natur schützend 33

der **Umzug, ⁼e** [hier:] Fahrt des Festzuges 17

unabhängig selbstständig; aus eigener Kraft 12

ungezwungen locker; frei 39

unheimlich gespenstisch; leichte Furcht erregend 93

unnachgiebig hart; nicht kompromissbereit 63

unterdrücken gewaltsam beherrschen; „unten halten" 52

unterhalten * (refl.) miteinander sprechen;
quatschen 31

unterkommen * Obdach / eine Unterkunft
finden 19

der **Unterricht** [hier:] die Schulstunden 20

der **Unterschied, -e** etwas anders; nicht gleich

die **Unterstützung, -en** Hilfe; Zuschuss 30

unterwegs auf der Reise; auf dem Wege 27

unvergleichlich einzigartig; nicht zu vergleichen 72

ursprünglich zuerst; zu Beginn 15

V

der **Veranstalter, –** jd., der ein Fest / ein Konzert
etc. organisiert und durchführt 30

die **Verantwortung** Pflicht; Aufgabe, die man
erfüllen muss 8

der **Verband, ¨e** [hier:] Verein; Interessen-
gruppe 57

verbieten * nicht erlauben; untersagen 38

die **Verbindung, -en** Kontakt; Beziehung 69

das **Verbrechen, –** kriminelle Handlung 43

verbreiten bekannt machen 79

verdienen etwas durch Arbeit bekommen 12

vereinen zusammenschließen; zusammen-
bringen 45

vereinzelt nicht häufig vorkommend; spora-
disch 45

die **Verfassung, -en** [hier:] die Konstitution; die
staatlichen Grundsätze; das Grundrecht 36

verfolgen [hier:] jdn. suchen, um ihn gefangen zu
nehmen 36

die **Vergangenheit** das Gestern; was vorbei
ist 76

vergessen * nicht daran denken; sich nicht
erinnern 17

vergleichen * zwei oder mehrere
Dinge / Personen betrachten und prüfend
gegenüberstellen 24

das **Verhältnis, -se** Beziehung 24

die **Verhältnisse** (Pl.) Bedingungen;
die Situation 43

verhandeln Verträge / Beschlüsse etc. diskutieren 67

verhasst sehr gehasst 90

verhindern vermeiden; unmöglich machen 66

verkleiden (refl.) sich kostümieren 17

der **Verlag, -e** Unternehmen, das Bücher /
Zeitungen / Musik etc. publiziert 58

vermeiden * verhindern; umgehen 67

vermissen merken, dass etw. / jd. fehlt / nicht
da ist 13

die **Vernichtung, -en** Zerstörung 40

verringern reduzieren; senken 57

versammeln (refl.) zusammenkommen 35

verschuldet mit Schulden belastet 18

versperren blockieren; zuschließen 44

versprechen * erklären, dass man etw. ganz
bestimmt tun will 39

verstaatlichen in Besitz des Staates bringen 44

die **Verständigung** Kommunikation; Sich-
Verstehen 63

verstecken an einen geheimen Platz bringen 16

verteilen jedem etw. geben 14

vertreiben * verjagen; zwingen wegzugehen 17

der **Vertreter, -** Repräsentant 79

verwalten alle (amtlichen) Angelegenheiten
erledigen 47

verwandt zur Familie / zu einer Gruppe
gehörig 10

verwirklichen realisieren; wahr machen 18

verwüsten (total) vernichten; zerstören 41

das **Vieh** Schweine, Kühe, Schafe etc. 54

die **Vielfalt** Verschiedenartigkeit 88

die **Volksabstimmung, -en** Referendum 65

vollenden zu Ende bringen 50

vor allem in erster Linie; hauptsächlich 29

das **Vorbild, -er** Ideal; Modell; Muster 44

vorherrschend dominierend; sehr häufig
vorkommend 71

die **Vorschrift, -en** Regel; Instruktion 18

der **Vorsitzende, -n** Chef; Leiter 43

vorstellen (refl.) [hier:] sich ein Bild (im Kopf)
machen 14

die **Vorstellung, -en** [hier:] Idee; Gedanke 44

der **Vorteil, -e** gute / positive Seite; Nutzen 19

der **Vortrag, ¨e** Vorlesung; Referat 28

vorübergehend nur für kurze Zeit; nicht für
immer 37

W

der **Wacholder** kleiner Nadelbaum mit blau-schwarzen Beeren 64

die **Waffe, -n** Gerät, mit dem man kämpfen und töten kann 51

wählen sich entscheiden; seine Stimme für etw. / jdn. abgeben 46

wahr wirklich; richtig 11

wahrscheinlich vermutlich; es ist anzunehmen 10

die **Währung, -en** Geld(einheit) in einem Land (z. B. Euro / Dollar) 42

das **Wahrzeichen, –** Symbol; charakteristisches Merkmal / Gebäude 48

die **Wallfahrt, -en** Reise (meist zu Fuß) zu einem Ort mit besonderer religiöser Bedeutung 76

der **Walzer, –** Tanz im Dreiviertel-Takt 50

die **Ware, -n** Produkt; Sache(n), die zu kaufen oder verkaufen sind 32

das **Wattenmeer** Teil des Meeresbodens zwischen Küste und Inseln, der bei Ebbe trocken liegt 66

die **Weide, -n** Futterland für Kühe / Schafe / Pferde 64

weitgehend fast ganz; so weit wie möglich 24

der **Weltrang** Weltniveau 92

die **Wende** [hier:] der Umschwung in der politischen Entwicklung zwischen Ost und West 1989 45

das **Werk, -e** [hier] Fabrik; Produktionsstätte 25

das **Werk, -e** was jd. geschaffen hat (Kunst- / Literaturwerk) 11

die **Werkstatt, ̈-en** Arbeitsraum; Produktionsstätte (z. B. von Handwerkern / Künstlern) 21

das **Werkzeug** Hammer, Säge, Bohrer etc. sind Werkzeug 54

der **Wettbewerb, -e** Konkurrenz 85

der **Widerstand** Opposition; Sich-Wehren 41

widmen zueignen; jdm. z. B. ein Buch widmen 75

wiederholen noch mal machen 20

winzig sehr klein 65

wirksam [hier:] einflussreich 51

der **Wohlstand** hoher Lebensstandard; Reichtum 43

das **Wohnmobil, -e** Caravan 29

der **Wortschatz** alle Wörter einer Sprache; alle Wörter, die jd. verstehen bzw. anwenden kann 88

das **Wunder, –** ungewöhnliches, „übernatürliches" Ereignis 43

die **Wut** Zorn; großer Ärger 44

Z

das **Zeitalter, –** Ära; Epoche 36

zementieren [hier:] festlegen; festschreiben 44

zerschlagen * vernichten; kaputtmachen 36

zerstören kaputtmachen 27

zeugen dokumentieren; zeigen 48

das **Ziel, -e** Ort / Sache, den / die man erreichen will 29

der **Zoll, ̈-e** Abgaben / Steuern, die man beim Passieren bestimmter Orte oder Grenzen zahlen muss 76

die **Zubereitung, -en** Vorbereitung und Herstellung von Speisen und Getränken; das Kochen 78

züchten aufziehen (Tiere / Pflanzen) 28

zufrieden froh; glücklich 13

die **Zukunft** Zeitraum, der vor uns liegt; Morgen 16

zuliebe aus Liebe zu 16

zum Teil teilweise; nicht ganz / immer 35

zumindest wenigstens 13

zunehmend immer mehr; wachsend 39

der **Zusammenbruch, ̈-e** Vernichtung; Ende 38

der **Zuschuss, ̈-e** Zuzahlung; finanzielle Hilfe 18

zutreffen * stimmen; richtig sein 72

der **Zweig, -e** [hier:] Branche 36

zwingen * jdn. mit Gewalt dazu bringen, etw. zu tun 90

Bildquellennachweis

(Jeremy Voisey), Calgary, Alberta; **49.2** iStockphoto (Esemelwe), Calgary, Alberta; **50.1** Humboldt-Universität (Heike Zappe), Berlin; **50.2** AKG, Berlin; **50.3** laif (TOMMASO BONAVENTURA / CONTRASTO), Köln; **51.1** AKG (Erich Lessing), Berlin; **51.2** Picture-Alliance, Frankfurt; **52.1** Ullstein Bild GmbH (dpa(85)), Berlin; **52.2** Ullstein Bild GmbH (Rudolf Schlichter), Berlin; **52.3** BPK, Berlin; **53.1** Süddeutsche Zeitung Photo, München; **53.2** Comet Photoshopping GmbH (Jack Metzger), Weisslingen; **54.1** Fan&Mross Reisebildarchive, Lüneburg; **54.2** Grundig AG, Nürnberg-Langwasser; **55.1** Pixelio.de (Marco Barnebeck Telemarco), München; **55.2** StockFood GmbH, München; **55.3** Siemens-Electrogeräte GmbH, München; **55.4** Bayer AG, Leverkusen; **55.5** Daimler AG Medienarchiv, Stuttgart; **55.6** Carl Zeiss AG, Oberkochen; **57.1** Klett-Archiv (Lucie Palisch), Stuttgart; **57.2** Klett-Archiv (Uta Matecki), Stuttgart; **57.3** iStockphoto, Calgary, Alberta; **58.1** 3sat, Mainz; **58.2** 3sat, Mainz; **58.3** Action Press GmbH (KAMMERER, BERND), Hamburg; **59** imago sportfotodienst (Imago), Berlin; **60.1** shutterstock (Hisom Silviu), New York, NY; **60.2** Getty Images, München; **60.3** Mauritius Images, Mittenwald; **60.4** Fotolia LLC (Elvira Schäfer), New York; **60.5** imago sportfotodienst (Imago), Berlin; **62.1** iStockphoto (4x6), Calgary, Alberta; **62.2** Fritz Mader, Barsbüttel; **62.3** Fotolia LLC (Uwe Lütjohann), New York; **62.4** shutterstock (Pinchuk Alexey), New York, NY; **63.1** dfd Deutscher Fotodienst GmbH (Ddp), Berlin; **63.2** Fotolia LLC (uhotti), New York; **64.1** shutterstock (Veronika Vasilyuk), New York, NY; **64.2** blickwinkel, Witten; **64.3** DAVIDS (DAVIDS / Dummer), Berlin; **65** Eventpress (Eventpress Stauffenberg), Berlin; **66.1** MEV Verlag GmbH, Augsburg; **66.2** Wikimedia Foundation Inc., St. Petersburg FL; **66.3** Pixelio.de, München; **66.4** Kessler-Medien, Saarbrücken; **66.5** Fotolia LLC (R.-Andreas Klein), New York; **68.1** Michael Sondermann, Bonn; **68.2** Fotolia LLC (Dreadlock), New York; **68.3** iStockphoto (tissa), Calgary, Alberta; **69** Mauritius Images, Mittenwald; **70.1** creativ collection Verlag GmbH, Freiburg; **70.2** iStockphoto (Loic Bernard), Calgary, Alberta; **71.1** Barbara Neumann (Barbara Neumann), Erfurt; **71.2** iStockphoto (Christina Hanck), Calgary, Alberta; **72.1** Pixelio.de (mcold70), München; **72.2** AKG, Berlin; **72.3** Ullstein Bild GmbH, Berlin; **74.1** Catherine Haab; **74.2** Kessler-Medien, Saarbrücken; **74.3** Kessler-Medien, Saarbrücken; **75** shutterstock (Mirenska Olga), New York, NY; **76.1** AKG (Rainer Hackenberg), Berlin; **76.2** iStockphoto (Samuli Siltanen), Calgary, Alberta; **76.3** Wikimedia Commons (BSonne); **76.4** FOCUS (SPL), Hamburg; **77.1** Bildagentur Huber, Fotoverlag (Bildagentur Huber / Gräfenhain), Garmisch-Partenkirchen; **77.2** Nationalpark Donau-Auen (Kovacs), Orth an der Donau; **77.3** blickwinkel (MOTIVTV), Witten; **78.1** iStockphoto (angi71), Calgary, Alberta; **78.2** Fotolia LLC (Pavol Kmeto), New York; **78.3** Ullstein Bild GmbH (Imagebroker.net), Berlin; **78.4** iStockphoto (David Anderson), Calgary, Alberta; **79.1** iStockphoto (Jeff Whyte), Calgary, Alberta; **79.2** Fotolia LLC (Digitalpress), New York; **79.3** Österreichische Galerie Belvedere, Wien; **79.4** kpa photo archive (KPA / United Archives / WHA), Köln; **80.1** Wikimedia Foundation Inc., St. Petersburg FL; **80.2** iStockphoto (Dave Logan), Calgary, Alberta; **80.3** Pixelio.de (Franz Haindl), München; **81.1** Interfoto (INTERFOTO), München; **81.2** Wikimedia Foundation Inc. (PD), St. Petersburg FL; **82.1** Ullstein Bild GmbH (ddp Nachrichtenagentur), Berlin; **82.2** iStockphoto (Alban Egger), Calgary, Alberta; **82.3** AKG (Denise Bellon), Berlin; **83.1** Picture-Alliance (picture-alliance / dpa), Frankfurt; **83.2** Süddeutsche Zeitung Photo (Süddeutsche Zeitung Photo / Winter, Hans), München; **84.1** Fotolia LLC (abal), New York; **84.2** Fotolia LLC (Karin Wabro), New York; **84.3** Salinen Tourismus GmbH, Hallstatt; **84.4** © Kraft Foods 2009, Bremen; **85.1** The Associated Press GmbH (LILLI STRAUSS), Frankfurt am Main; **85.2** Süddeutsche Zeitung Photo (©Louis Monier), München; **86.1** AKG, Berlin; **86.2** iStockphoto (Tuzson Turjányi), Calgary, Alberta; **86.3** Fotolia LLC (Schwoab), New York; **87.1** Pixelio.de (Martin Müller), München; **87.2** Wikimedia Foundation Inc. (public domain), St. Petersburg FL; **88.1** Kessler-Medien, Saarbrücken; **88.2** Wikimedia Foundation Inc. (Mike Lehmann), St. Petersburg FL; **89** JupiterImages photos.com, Tucson, AZ; **90.1** Fotolia LLC (muehle), New York; **90.2** Wikimedia Foundation Inc. (CC / Marc Schlumpf), St. Petersburg FL; **90.3** iStockphoto (Marguerite Voisey), Calgary, Alberta; **91.1** A1PIX, Taufkirchen; **91.2** Süddeutsche Zeitung Photo (Gerig, Uwe), München; **92.1** Getty Images, München; **92.2** shutterstock (mdd), New York, NY; **92.3** Fotolia LLC (Gary), New York; **92.4** Geoatlas, Hendaye; **94.1** Pixelio.de (Adi), München; **94.2** Fotolia LLC (Thomas Reimer), New York; **94.3** iStockphoto (Laurence Matson), Calgary, Alberta; **94.4** shutterstock (Fribus Ekaterina), New York, NY; **94.5** shutterstock (Fribus Ekaterina), New York, NY; **95** Pixelio.de (Katrin Weyermann-Bötschi), München

Audio-CD „Dreimal Deutsch Lesebuch"

Track	Titel	Seite	Zeit
◉ 55	Sommerfrische des Kaisers	81	0:49
◉ 56	Skigeschichte	82	0:53
◉ 57	Alle kennen Tirol	83	1:00
◉ 58	Die Mozarstadt	84	0:45
◉ 59	Joseph Haydn	87	0:37
◉ 60	Mitten in Europa	88	1:11
◉ 61	Land der Tunnel	89	1:05
◉ 62	Wilhelm Tell	90	1:03
◉ 63	Die Bundesstadt	92	0:50
◉ 64	Alpen-Kleinstaat	95	0:43
	Gesamtzeit		**55:42**

Aufnahmeleitung Ernst Klett Sprachen GmbH, Stuttgart
Produktion Workshop Medien-Service GmbH, Stuttgart
Sprecher Manuel Jendry, Utha Mahler
Tontechnik Joschi Kaufmann, Workshop Medien-Service GmbH, Stuttgart
Presswerk Optimal Media Production GmbH, Röbel/Müritz

1. Auflage   1 $^{8\ 7\ 6\ 5\ 4}$ | 2021 20 19 18 17

Nachfolger von 978-3-12-675237-3

Autorin Uta Matecki

Redaktion K. Wolfgang Walther
Layoutkonzeption Marion Köster, Stuttgart
Illustrationen Glückssachen Nena Dietz, Stuttgart; Sven Palmowski, Barcelona
Gestaltung und Satz Marion Köster, Stuttgart
Herstellung Ulrike Wollenberg
Umschlaggestaltung Marion Köster, Stuttgart
Druck und Bindung AZ Druck und Datentechnik GmbH, Heisinger Straße 16, 87437 Kempten
Printed in Germany

ISBN 978-3-12-675237-4